JN270624

幸福抄

池田大作

主婦と生活社

著者近影（夫人と）

以上３点、著者撮影

はじめに

「私は散歩《さんぽ》の途中《とちゅう》出会うすべての花を一つ一つ名ざして呼べるようになりたい」「花もその個性《こせい》を認めてもらうと喜ぶように私には感じられるのだ」（平井正穂訳『ヘンリ・ライクロフトの私記』岩波文庫）

この言葉は、優美《ゆうび》な自然描写《びょうしゃ》で名高いイギリスの大作家ギッシングの一文である。

路傍《ろぼう》の可憐《かれん》な花、色あざやかな大輪の花、踏《ふ》まれても踏まれても健気《けなげ》に咲く花、太陽に向かって凛《りん》と伸びゆく花――。その一輪《いちりん》また一輪を見守る、慈《いつく》しみに満ちた心が伝わってくるようだ。

同じように、人生の歩みの中で出会いゆくすべての人に、それぞれの幸福《こうふく》の花を見いだすことができれば、どれほど素晴らしいことか。そして、その花が一つもれなく咲き誇っていくように、私たち自身が希望の風を送り、勇気の光を注ぐことができれば、これほどの充実はないであろう。

三十年ほど前、私は自らが創立した学園の女子の第一期生たちへ、「他人の不幸の上に自分の幸福を築くことはしない」という指針《ししん》を贈った。その乙女たちも今や立派に成長し、この幸福の哲学を自分らしく体現しながら、大いに活躍してくれている。

残念ながら、人類は、平和への確かな道を、いまだに暗中模索《あんちゅうもさく》するしかない。だからこそ、自分も他者《たしゃ》も共に「幸福」を目指しゆく、麗《うるわ》しき女性の連帯が、ますます重要になっているのではないだろうか。私がかねてより「二十一世紀は女性の世紀」と提唱《ていしょう》してきた一つの理由も、ここにある。

真実の幸福の花は、忍耐という大地に咲く。忍耐のなき幸福は儚《はかな》い虚栄《きょえい》と消えてしまう。それゆえ、さまざまな苦難《くなん》と戦いゆく友へ、できる限りの励ましを贈りたいと、私は願ってきた。折々に、随筆や詩を書き綴《つづ》ってきたのも、その心情からである。

その幾つかは、女性誌のパイオニアである『主婦と生活』に掲載《けいさい》していただいた。そうした文章を中心として、近年の私の詩やエッセイなども織《お》り込み、六つの章から構成《こうせい》される随筆集にまとめていただいたのが、この一書である。

長年にわたって、私の拙文《せつぶん》を、このように大事にしてくださった主婦と生活社の方々の深い友情と真心に、心から感謝いたしたい。

『幸福抄』という題名には、「二十一世紀を、どの世紀よりも多くの幸福の花々が薫《かお》る平和の世紀に!」との祈りが込められている。この書が、少しでも、読者の方々の心の滋養《じよう》となれば、これに勝る喜びはない。

結びに、ご尽力を賜った菊地英雄社長をはじめ、ご関係の皆様方に厚く厚く御礼を申し上げたい。

二〇〇三年十月二日

著者

はじめに　1

第1章《青春》
〈詩〉　8
本当の美しさ　10
絶対的幸福　17
戦う青春　26
恋愛について　35

第2章《夫婦》
〈詩〉　42
妻の幸福　46
よきパートナー　52
ともに向上　58
純粋な生き方　62

第３章《親子》

〈詩〉 70
子どもへの愛 73
教育する姿勢 79
信じ合える親子 85
子どもに与えたいもの 93
育てたい「大いなる未完成」 101

第４章《家族》

〈詩〉 110
母親の使命 112
父親のあり方 120
親が子どもに残すべきもの 126
大切にしたい「風の心」 132
嫁と姑の協和音 140

第5章《生き方》

〈詩〉 146
人間として生きる 150
創造的生き方 157
詩の心をもって 164
楽観的生き方のすすめ 172
熟年の過ごし方 181
老いの迎え方 189
死をどう考えるか 196

第6章《社会》

〈詩〉 206
社会活動の第一歩 209
人のために尽くす 217
いのちについて 224
思いやりと介護 232
国際人の条件 240

第1章《青春》

幸福《こうふく》は
夢《ゆめ》のようなものではない。
風が吹《ふ》いて
やってくるものでもない。
誰《だれ》かが
与えてくれるものでもない。
確固《かっこ》たる
汝《なんじ》自身の魂《たましい》の
強き輝《かがや》きの中《なか》にある。
汝自身の
心の扉《とびら》を開いて
幸福は
創《つく》るものである。
仮面《かめん》の
多くの誘惑《ゆうわく》に

揺《ゆ》れ動いてはならない。
もはや
暮《く》れゆく青春であっては
あまりにも侘《わび》しい。
絶望《ぜつぼう》と哀調《あいちょう》の
青春であっては
絶対にならない。

若さとは
生涯《しょうがい》の幸福への
輝く魂と力を持つことだ。

貴女《あなた》よ！
後悔《こうかい》の人生を生きるな！
凍《い》てつく不幸《ふこう》な人生に
落ちるな！

本当の美しさ

美しさというものも、決《けつ》して短距離《たんきょり》競走《きょうそう》ではない。この長距離競走《ちょうきょりきょうそう》の基《き》礎《そ》づくりをするのも、青春時代《じだい》の大事《だいじ》な仕事《しごと》であろう。

女性《じょせい》にとって、若いということは、それだけで、素晴《すば》らしい宝石《ほうせき》を持っているようなものだ。瑞々《みずみず》しいというか、初々《ういうい》しいというか、若い女性は、何も飾《かざ》らずとも、それだけで美しいものである。

多くの女性に会って感《かん》ずることは、女性の真《しん》の美しさは、化粧《けしょう》や、アクセサリーや、服装《ふくそう》だけで決《き》まるものでは決《けっ》してないということだ。もとより、それらも、美しさをひきたてるための、大事《だいじ》な要素《ようそ》であることには違《ちが》いない。しかし、美しさの本体は、もっと自分自身《じしん》の生命《せいめい》の内奥《ないおう》にあり、そこから輝《かがや》き出るものではないだろうか。

情報《じょうほう》社会のおかげで、女性の服装や、化粧法《けしょうほう》、髪型《かみがた》などの流行《りゅうこう》の変化《へんか》は、実《じつ》に、めまぐるしいばかりである。しかし、流行の最先端《さいせんたん》が、必《かなら》ずしも美しいとは限《かぎ》らない。多くの女性が、ただ、その時どきの流行を追《お》うのに汲々《きゅうきゅう》とし、せっかくの美しい素質《そしつ》を持ちながら、台なしにしてしまっているような気がしてならない。

さまざまな雑誌《ざっし》の写真《しゃしん》や、テレビの映像《えいぞう》を見て、自分もあのような服装をすれば、あのように美しく、カッコよくなるだろうと思うのは、当然《とうぜん》ともいえる。

しかし、人は、それぞれ、その人にしかない美しさを持っている。桜《さくら》は桜らしく、スズランはスズランらしく、独自《どくじ》の美しさがある。

自信《じしん》をなくし、よけいな気苦労《きぐろう》をするから、もともと自分が持っている美しさを、それだけ損《そこ》なう。そういう顔《かお》を鏡《かがみ》にうつして、ますます自信を喪失《そうしつ》し、さらに美しさを損《そん》じてしまう。それでは悪循環である。

美しさには、決して一定《いってい》のパターンがあるというものではないと思う。とってつけた仮面《かめん》の美しさは、もはや美《び》ではなく醜《しゅう》である場合が少なくない。その人が持っている本来のものに、磨《みが》きをかけ、輝かせていく――ここに、その人らしい〝美しさ〟が洗練《せんれん》されて、にじみ出てくるのではないだろうか。

＊　　＊

中国の故事《こじ》に、絶世《ぜっせい》の美女が、何かのことで顔をしかめたのが、それがまた、たとえようもなく美しかったので有名《ゆうめい》となった。それを聞いた女性がマネをして顔をしかめたところ、人びとの笑《わら》いものになったという話がある。結《けっ》局《きょく》、自分は、どこまでいっても自分であって、絶対《ぜったい》に他人にはなれないのだ。また、なる必要もない。

「自分をより美しく」という女性の願望《がんぼう》は、いつの世《よ》にも変《か》わらぬものである。だからこそ、「美しくなるためには、どうすればよいのか」という知恵《ちえ》は、時代《じだい》の進展《しんてん》とともに、もっと進んでもよいのではなかろうか。

表面《ひょうめん》だけの美しさは、たしかに年齢《ねんれい》によって制約《せいやく》されることは、誰人《だれびと》もまぬかれない。だが、生命《せいめい》それ自体が持つ美しさは、生涯《しょうがい》、磨《みが》けば磨くほど美しさを増《ま》す。年をとれば、とったなりに、その美しさを発揮《はっき》していくことが必ずできる。

生命それ自体の美しさが、同時に、表面の美しさに反映《はんえい》し、二十代には二十代なりの美しさ、三十代には三十代なりの美しさ、四十代には四十代なりの美しさとして表れてくるものである。

　では、その生命自体の美しさとは、何によって決まるかといえば、――私は、心の優《やさ》しさ、純粋《じゅんすい》さ、広い教養《きょうよう》につちかわれた英知《えいち》、正しいと信《しん》じたことについては一歩もひかないシンの強さ、また、健康《けんこう》、福運《ふくうん》などであろうと思う。

　愛情《あいじょう》とか、優しさとか、人生に対する、前向《まえむ》きの姿勢《しせい》とか、その人柄《ひとがら》の持つ折《お》り目の正しさといったものが、女性の奥《おく》ゆかしい美を創造《そうぞう》していく源泉《げんせん》となる。

　若いときには、目のさめるように美しかった人が、結婚《けっこん》し、子どもが生まれ、家庭《かてい》の苦労《くろう》を重《かさ》ねていくうちに、見るかげもないほどやつれ、急速《きゅうそく》に色あせてしまう場合もある。そこには、自分はもう美しさと関係《かんけい》ないといった、半《なか》ばあきらめの気持《きも》ちが働《はたら》いているのかもしれない。これでは、あまりに悲《かな》しいと思う。

本来《ほんらい》、女性には、繊細《せんさい》で豊《ゆた》かな、美に対する知恵といったものが備《そな》わっているのではないだろうか。その知恵を歪《ゆが》めたり、失《うしな》ったりしないためには、まず澄《す》んだ目で自分を見直すことが、大切だと考える。

＊　＊

ふつりあいな、とってつけた美も、生活《せいかつ》に疲《つか》れ切った、やつれた美も、本質《ほんしつ》的《てき》には、共通《きょうつう》するものがあるように思えてならない。それは、両者《りょうしゃ》とも、一方は見栄《みえ》、虚栄《きょえい》のために、他方はあきらめのために、自分を見いだす目を濁《にご》らされてしまっているということなのだ。

その反対《はんたい》に、若いときは、さほど目立たなかった女性が、年齢《ねんれい》を重ねるにつれて、内側から輝《かがや》き出るような美しさを増《ま》してくるという場合も多々《たた》ある。

一生という広い視野《しや》に立ってみれば、美しさというものも、決して短距離《たんきょり》競走《きょうそう》ではない。死《し》の瞬間《しゅんかん》まで続くマラソン競走なのである。この長距離《ちょうきょり》競走の基礎《きそ》づくりをするのも、青春時代の大事な仕事であろう。

若さとともにはかなく消え去ってしまう、線香《せんこう》花火のような美しさばかり求めるのでなく、青春を有意義《ゆういぎ》に謳歌《おうか》しながら、一生、燃《も》え続けてゆく美しさの基盤《きばん》を、しっかり築《きず》いていかれることを願ってやまない。

絶対的幸福

自分というものを真摯《しんし》に見つめ、人間としての自己建設《じこけんせつ》をなした人こそが、生命《せいめい》の内側《うちがわ》からあふれ出る泉《いずみ》のような、幸福《こうふく》な当体《とうたい》となることができる。

人生《じんせい》の幸福《こうふく》には、大きく分けて二つの種類《しゅるい》がある。欲望《よくぼう》の充足《じゅうそく》によって感《かん》じる幸福と、生命《せいめい》自体の躍動《やくどう》、充実感《じゅうじつかん》による幸福である。前者《ぜんしゃ》は常《つね》に他《た》に依存《いぞん》し、他者《たしゃ》によって左右《さゆう》されるものであるから、これは「相対的《そうたいてき》な幸福」と言うべきである。

例《たと》えば、おいしいものを食べたい、すばらしい車を手に入れたい、広い家がほしい等々《とうとう》の願望《がんぼう》が満《み》たされた時、そこに人々は幸福を感《かん》ずる。しかし、それは必《かなら》ずその対象《たいしょう》によって決定《けってい》される幸福である。しかも、その幸福感は決して永続《えいぞく》するものではない。どんなにおいしいものも、満腹《まんぷく》してしまえばおいしいとは思わなくなってくる。満腹してもなおかつ食べなければならないとしたら、かえって苦痛《くつう》にさえなるであろう。また、どんなにおいしいものでも、食事《しょくじ》のたびに同じものを出《だ》されたら、しまいには飽《あ》きてしまう。

車や家についても似《に》たようなことが言えると思う。手に入れた当初《とうしょ》はうれしくて、いくらいじりまわしてもあきたらないような気がするのだが、一年、二年とたつうちに、そうした喜《よろこ》びはどこかへ消《き》えてしまうに違《ちが》いない。何となく人は、自分のものよりも隣《となり》の人のもののほうがよいように思えてくるものだ。そこでまた新しい欲望がわいてきて、その追求《ついきゅう》のために、あくせくと努力《どりょく》を重《かさ》ねることになる。

私は何もそうした欲望の追求《ついきゅう》を悪《わる》いと言うのでは決《けっ》してない。それは、人間の本性《ほんしょう》であるとともに、人類文化《じんるいぶんか》の進歩《しんぽ》と発展《はってん》の原動力《げんどうりょく》であるからだ。ただ、それのみを究極《きゅうきょく》の目標《もくひょう》としていく人生では、決して本当の幸福を得《え》ることができないと言いたいのである。

これに対《たい》し、自己《じこ》に立ち返り、自己の成長《せいちょう》と内的充実《ないてきじゅうじつ》を目ざす生き方、そして生命の内奥《ないおう》からあふれる幸福感は、他によって左右されることはない。これを私は「絶対的《ぜったいてき》幸福」と呼《よ》びたい。

＊　＊

幸福とは究極《きゅうきょく》には、決して他から安易《あんい》に与《あた》えられるものではない。真実の幸福は、自己の生命の内に築《きず》き、生活の上に、また社会の上に反映《はんえい》させていくものだ。当然、それにはたゆまぬ努力《どりょく》が必要《ひつよう》である。苦労《くろう》もまた、ひとしおであろう。安易な妥協《だきょう》は許《ゆる》されない。他への依存《いぞん》を排《はい》していく生き方は、ときには孤高《ここう》でさえあるかもしれない。だが、人間としての深《ふか》さと、誇《ほこ》りと気高《けだか》さが、そこにはある。

もとより人間は、すべてさまざまな人やものとの関係性《かんけいせい》によって生きている。それを拒絶《きょぜつ》して、生命の存在はあり得ないことも当然《とうぜん》である。だが、同時にその本質面《ほんしつめん》、深奥《しんおう》の次元《じげん》において、あくまで一人であり、それ自体は自立《じりつ》しているものである。親、兄弟、友人、恋人《こいびと》、あるいは夫《おっと》と、常《つね》に華《はな》やかに人々に囲《かこ》まれ、大事《だいじ》にされ、自分が周囲の人々の好意《こうい》に甘《あま》えていればよいといった、若《わか》い幸福な時代には、そうしたことは他人ごとに過ぎぬことであろう。しかし、思いがけない不幸に遭遇《そうぐう》したとき、あるいは人生の終局《しゅうきょく》にたどりついたときに、はじめて人はこの現実《げんじつ》を、ひしひしと身に感ずるのである。人間としての真《しん》の幸福は、その時に決《き》まると言ってよい。

こすられれば、すぐにはげて醜《みにく》くなるメッキのような幸福ではなく、こすられればこすられるほど、美しく光り輝《かがや》く、真金《しんきん》のごとき幸福を築《きず》き上げていきたいものだ。

妻として、母として、あるいは広く女性としての、さまざまな生き方や、それまでの幸福というものも、この地金《じがね》に当てられた光の種類《しゅるい》によって、あらわれる変化相《へんかそう》に過ぎないのではあるまいか。メッキのはげた安ものの地金は、どういう光を当てようと、にぶく、醜い反射光《はんしゃこう》しか出さない。純正無垢《じゅんせいむく》の黄金《おうごん》は、当てる光のいかんにかかわらず、美しい魅力《みりょく》あふれる輝きを示《しめ》すものだ。

＊　＊

では、人間としての自己の真《しん》の建設《けんせつ》のために、いったい、何を心がけねばならないか、ということが問題《もんだい》になってくる。この点については、古代《こだい》の思想家《しそうか》や哲学者《てつがくしゃ》がさまざまな回答《かいとう》を提供《ていきょう》している。

孔子《こうし》のいう「仁《じん》、義《ぎ》、礼《れい》、智《ち》、信《しん》」や、キリストの「博愛《はくあい》」、釈迦《しゃか》の「慈悲《じひ》」などは、その一例《いちれい》であろう。これらは、たしかに人間として大事な要件《ようけん》ではある。私は、それは認《みと》めはするが、言葉《ことば》のみを繰《く》り返す気持ちは毛頭《もうとう》ない。

僭越《せんえつ》ではあるが、私なりの結論《けつろん》をいうと、「全体《ぜんたい》人間たれ」ということになろうか。人生の深い英知、豊かな教養《きょうよう》、そして人々に対する温《あたた》かい思いやりを持った、幅《はば》の広い人であっていただきたい。忍耐《にんたい》や勇気《ゆうき》、正義感《せいぎかん》を養《やしな》うことも大事《だいじ》である。政治《せいじ》、経済《けいざい》、科学《かがく》、教育《きょういく》などといった社会問題《もんだい》への関心《かんしん》と、洞察力《どうさつりょく》の養成《ようせい》も忘《わす》れてはならない。要《よう》は人生の広さと深さを求めて、どこまでも勉強《べんきょう》し、努力することを忘れるな、ということである。

ある次元に自分の世界を決め、限界《げんかい》を設《もう》けて、その中に安住《あんじゅう》してしまうのは、自《みずか》らの籠《かご》に自らを閉《と》じこめるのと異《こと》ならない。その結果《けっか》は視野《しゃ》が狭《せま》くなり、感情が偏頗《へんぱ》となり、利己主義《りこしゅぎ》と保守《ほしゅ》主義と無気力《むきりょく》に陥《おちい》ってしまうことになりはしまいか。それでは、人間としての退化《たいか》である。

自分というものを真摯《しんし》に見つめ、社会と生き生きと関わりながら、人間としての自己建設《じこけんせつ》をなした人こそが、生命の内側からあふれ出る泉《いずみ》のような、幸福《こうふく》な当体《とうたい》となることができると言えよう。

＊　＊

人生は最後《さいご》の一瞬《いっしゅん》まで、建設の連続《れんぞく》でありたい。この心構《こころがま》えを生涯《しょうがい》持ち続けたかどうかが、その人の人生の価値を決定すると言っても過言《かごん》ではないと、私は思う。常に人生の前進《ぜんしん》、常に人生の成長《せいちょう》を続けていくことだ。そこにのみ、真《しん》の若さがあり、人間としての尊《とうと》さがあるであろう。

その途上《とじょう》には、成功《せいこう》もあれば失敗《しっぱい》もあろう。しかし、それは決して人生全体の決算《けっさん》ではない。その人の価値を決めるものでも、断《だん》じてない。成功が次の失敗の因《いん》となることは、しばしばあるし、逆にどんな失敗も、英知《えいち》と努力によって次の大成功の原因にしていくことも可能である。

古人《こじん》は「塞翁《さいおう》が馬」のエピソードをもって戒《いまし》めたりしたが、その中に潜《ひそ》むすぐれた教訓《きょうくん》は「成功《せいこう》におごらず、失敗にくじけるな」ということである。古くさい、ありふれたお説教《せっきょう》かもしれないが、人生に処《しょ》する大事な心構《こころがま》えではないだろうか。

ある場面で、無残《むざん》な敗北《はいぼく》を喫《きっ》した時、そこで屈《くっ》することなく、次の成功への因に転換《てんかん》していくためには、たくましい生命力と、すぐれた英知、そして忍耐力《にんたいりょく》が要請《ようせい》される。この強い自己を建設することそれ自体が、人生の最も大切な課題《かだい》と言える。

「絶対的幸福」ということも、具体的《ぐたいてき》にはこうした姿《すがた》の中に、あらわれるものではないだろうか。絶対的な幸福だからといって、何も苦しみや悩《なや》みが全くない、いわば真空状態《しんくうじょうたい》をいうのでは決してない。楽しいことばかりが続く夢《ゆめ》の世界でも、もとよりない。生きている人間である以上、喜怒哀楽《きどあいらく》があるのは当然《とうぜん》である。しかし、それに振《ふ》りまわされ、支配《しはい》されるのではなく、波乗《なみの》りを楽しむように、これを楽しんでいける境涯《きょうがい》を「絶対的幸福」というのである。

人生の真の勝敗《しょうはい》は最終章にあることを確信《かくしん》して、この尊い自己の一生を、建設と成長と研鑽《けんさん》によって、真に価値ある日々の連続にしていきたいものである。

戦う青春

青春に、取り返しのつかないことなど絶対《ぜったい》にない。むしろ、青春の失敗《しっぱい》とは、失敗を恐《おそ》れて挑戦《ちょうせん》しないことである。また、自分で自分をあきらめてしまうことである。

ある意味《いみ》で、どんな時代《じだい》にも、深刻《しんこく》な苦《くる》しみはある。どんな時代も、青春は悩《なや》みとの葛藤《かっとう》である。勉強《べんきょう》のことだけでない。家族《かぞく》のこと、健康《けんこう》や容姿《ようし》のこと、異性《いせい》のこと、友人のこと、いろいろな悩みがある。苦しみもある。不安《ふあん》もある。悔《くや》しさもある。悲《かな》しみもある。あらゆる悩みとの戦《たたか》いが青春時代なのである。

そのなかで、もがきながら、暗雲《あんうん》をかきわけ、太陽《たいよう》に向《む》かっていこう、希望《きぼう》に向かっていこうとする、この力が青春である。悩みや、失敗や、後悔《こうかい》があるのは当たり前だ。大事《だいじ》なのは、それらに負《ま》けないことだ。悩みながら、苦しみながら、前へ前へ進むことである。

道に迷《まよ》った。海に出るにはどうするか。どの道でもいいから、前へ進めばいい。そうすれば川に出る。川筋《すじ》をたどっていけば、いつか必《かなら》ず海へ出る。

前へ進むことである。もがきながら、一ミリでも二ミリでもいいから、前へ進む。そうやって生き抜《ぬ》いていけば、あとで振《ふ》り返って、ジャングルを抜けたことがわかる。そして、苦しんだ分だけ、深《ふか》い人生となっている。

すべての人に、自分でなければできない、自分の使命《しめい》がある。使命がなければ生まれてこない。

＊　＊

世界《せかい》には、たくさんの山がある。高い山、低い山。世界には、たくさんの川がある。長い川、短い川。しかし、みな山であり、みな川であることに違《ちが》いはない。

穏《おだ》やかな万葉《まんよう》の奈良《なら》の山もあれば、勇壮《ゆうそう》な阿蘇《あそ》もある。壮大《そうだい》な白雪《はくせつ》のヒマラヤもある。それぞれに美しいし、味《あじ》がある。川も、鮭《さけ》の故郷《こきょう》・石狩川《いしかりがわ》もあれば、詩情《しじょう》の千曲川《ちくまがわ》もある。対岸《たいがん》が見えない大黄河《だいこうが》があり、アマゾン川がある。その川にしかない魅力《みりょく》がある。

人間もそれぞれの使命があって存在《そんざい》するのである。人には、その人でなければできない、その人の使命がある。必ずある。そう確信《かくしん》し、誇《ほこ》りを持ってもらいたい。

しかし、その使命も、じっとしていたのではわからない。何でもいい、何かに挑戦《ちょうせん》することである。その努力《どりょく》の積《つ》み重《かさ》ねのなかから、自然《しぜん》に方向性《ほうこうせい》が決《き》まってくるものだ。だから、今、自分がやるべきことは何なのか、それを避《さ》けてはいけない。

「目の前の山を登《のぼ》れ」ということである。山に登れば、ともかく足は鍛《きた》えられる。鍛えられた分、次のもっと大きな山に挑戦できる。この繰り返しである。登った山頂《さんちょう》から、もっと広い人生が見えてくる。自分の使命も、だんだんわかってくるのだ。

「使命があるんだ」ということを忘れない人は、強い。どんな悩みがあっても、負けない。悩みを全部、希望へのエネルギーへと変《か》えていけるのだ。

＊　＊

何かやる。何か始《はじ》める。努力《どりょく》を重《かさ》ねていくうちに、目標《もくひょう》もはっきりしてくる。自分でなければできない自分の使命もわかってくるものなのだ。

目標のない人は、目標を立てた人にはかなわない。目標を立てることで、その人自身が建設《けんせつ》されていく。

青春の戦いとは、「自分をつくる」戦いである。「心を鍛《きた》える」「頭脳《ずのう》を鍛える」「体を鍛える」戦いなのだ。

何事《なにごと》も土台が必要《ひつよう》である。土台なくしては、どんな家も、どんなビルも建たない。人生も同じだ。その土台を建設するのが青春時代なのだ。

フランスの作家ロマン・ロランは言った。

「ピラミッドは頂上《ちょうじょう》から造《つく》られはしない」（豊島与志雄訳『ジャン・クリストフ』岩波文庫）

仏典《ぶってん》にも一人の富豪《ふごう》の話がある。他人《たにん》の家が三階建《さんがいだ》てで美しくそびえていたのを見て、うらやましくなった。大工さんを呼《よ》んで、同じような高楼《たかどの》がほしいと注文《ちゅうもん》した。

大工さんは承知《しょうち》して、まず土台を造り、あとで一階《いっかい》、二階を造り、それから三階を造ろうとした。

しかし愚《おろ》かな富豪は、それを見て、もどかしそうに言った。

「私がほしいのは土台じゃないんだ。一階でも二階でもない。三階の高楼だけなんだ。早く三階を造れ」

笑《わら》い話のようだが、人生でも同じようなことをしている人は多いものだ。

人生の土台は十代、二十代で決まる。いちばん大事な礎《いしずえ》をつくる時である。基礎《きそ》を深《ふか》く深く掘《ほ》り、盤石《ばんじゃく》な土台を築《きず》かなければ、高い建物は建てられない。人生の土台も、自然《しぜん》のうちにできるものではない。若き心に、何をどう決めるかである。

＊　＊

青春に、取り返しのつかないことなど絶対にない。むしろ、青春の失敗とは、失敗を恐れて挑戦《ちょうせん》しないことである。また、自分で自分をあきらめてしまうことである。

過去《かこ》は過去、未来《みらい》は未来である。常に「さあ、きょうから！」「これから！」「今から！」「この瞬間《しゅんかん》から！」と未来を見つめて進むことだ。

人生は四十代、五十代にならないと勝敗《しょうはい》はわからない。決《けっ》して目先だけで絶望《ぜつぼう》したり、あせってはならない。後悔することがあっても、悩みがあっても、失敗があっても、未来は長いのだ。いちいち、やけになるような、そんな安っぽい自分になってはいけない。

歴史《れきし》に名を残した人を見ても、青春はさまざまである。例《たと》えばイギリスの政《せい》治家《じか》チャーチルは〝万年落第生《まんねんらくだいせい》〟。ガンジーは目立たない生徒《せいと》だった。内気で、気が弱く、話し下手《べた》。アインシュタインは劣等生《れっとうせい》。ただし、数学《すうがく》だけは、ずば抜けてよかった。X線《せん》の発見者《はっけんしゃ》レントゲンは工芸学校《こうげいがっこう》を退学処分《たいがくしょぶん》になった。級《きゅう》友《ゆう》が起《お》こした事件《じけん》のぬれぎぬを着《き》せられたのだ。

では、彼らの青春に共通《きょうつう》することは何か。それは「自分で自分をあきらめなかった」ということだろう。成績《せいせき》が悪かった人、いじめられた人、裏切《うらぎ》られた人、失敗した人、病気や経済苦《けいざいく》で悩んだ人のほうが、その分、人の心がわかる。人生の深さがわかる。だから「負《ま》けない」ことである。負けなければ、苦しんだ分だけ、将来《しょうらい》、必ず大きな花が咲《さ》くのである。

何事《なにごと》にも順序《じゅんじょ》がある。若い時から物質的《ぶっしつてき》に豊《ゆた》かであり、自由《じゆう》であるのは、かえって不幸である。

青春時代に精神《せいしん》を鍛え抜く。自分を磨《みが》く。その土台の上に、ある年代に達したとき、精神面《せいしんめん》でも、物質面《ぶっしつめん》でも、花が開くようになっていくのが道理《どうり》である。それが人生の正しい軌道《きどう》である。

＊　　＊

青春は人生の華《はな》である。若さの躍動《やくどう》であり、清純《せいじゅん》さの結晶《けっしょう》である。激流《げきりゅう》のごとき熱情《ねつじょう》、未来《みらい》をかける夢、絶対に妥協《だきょう》を許さぬ潔癖《けっぺき》な心――青春とは、何と魅力《みりょく》にあふれていることか。また、何と光輝《こうき》に満《み》ちていることか。何にもまして大切な青春である。そして、またたく間に過《す》ぎ去《さ》る青春である。この大事な時期《じき》を無為《むい》に過ごしてはならない。誤《あやま》った方向《ほうこう》に進《すす》んではならない。常《つね》に自分の人生を切り開《ひら》き、創造《そうぞう》し、前進《ぜんしん》していくことこそ、真実《しんじつ》に生きているとの証《あかし》であり、それこそが青春の特権《とっけん》なのである。

恋愛について

恋愛《れんあい》は、感動《かんどう》し、元気になり、希望《きぼう》を生み、生き抜《ぬ》く源泉《げんせん》とならなくてはいけない。

春になれば花が咲《さ》き、冬になれば雪が降《ふ》るように、青春時代《じだい》に異性《いせい》にあこがれ、好意《こうい》を持《も》ち、胸《むね》を熱《あつ》くするのは自然《しぜん》のことである。人生の一つの段階《だんかい》である。お互《たが》いが、キラキラした夜明けの新しい太陽《たいよう》が昇《のぼ》るような、新しい時代《じだい》に入るようなものだ。

人を好《す》きになるのも、〝きれいだな〟と思うのも自由《じゆう》。付《つ》き合うのも自分の意志《いし》であり、本来《ほんらい》、人がとやかく言うものではないかもしれない。

ただ、人生の先輩《せんぱい》として語《かた》っておきたいことは、「自分自身《じしん》を大きく育《そだ》てていく」という根本軌道《こんぽんきどう》を忘《わす》れてはいけないということである。

自分が大きく成長《せいちょう》し、生き生きとして、力を出していくような恋愛《れんあい》でなければならない。それが大前提《だいぜんてい》である。しかし、ともすれば、自分を冷静《れいせい》に見るゆとりがなくなってしまうのも恋愛の現実《げんじつ》である。

今、自分たちは何をすべきか、その目的《もくてき》を忘《わす》れての交際《こうさい》は邪道《じゃどう》である。互いに目的を達成《たっせい》していこうという励《はげ》まし、希望《きぼう》を持ち合っていくことが大切である。

＊　＊

ダンテといえば、西洋《せいよう》の最高峰《さいこうほう》の詩人《しじん》である。彼にとっては、ベアトリーチェという一人の女性が生きる源泉《げんせん》だった。

少年の日から彼女を慕《した》い続《つづ》け、十八歳の時、道で再会《さいかい》した。彼は感動《かんどう》を『新《しん》生《せい》』と題《だい》する詩に綴《つづ》る。そして、彼女への思いを〝どう表現《ひょうげん》すればいいか〟と悩《なや》むなかで、新しい詩のスタイルをつくりだしていく。まさに、彼女がダンテの芸術《げいじゅつ》の扉《とびら》を開《ひら》いてくれたのである。

しかし、ダンテにとって、彼女は〝あこがれの人〟に終《お》わる。ベアトリーチェは、他《ほか》の男性《だんせい》と結婚《けっこん》し、若くして死《し》んでしまう。それでも、ダンテはベアトリーチェを愛《あい》し続けた。それが、結果《けっか》として彼の心を高貴《こうき》なるものに鍛《きた》え、高め、深《ふか》めていく。ライフワークの『神曲《しんきょく》』では、ベアトリーチェは、ダンテ自身《じしん》を天上界《てんじょうかい》へと導《みちび》いていく尊貴《そんき》な存在《そんざい》として描《えが》かれている。

ダンテとは、時代《じだい》も国も違《ちが》うと思うかもしれない。しかし、相手《あいて》がどうであろうと自分の思いを見失《みうしな》わず、その愛情《あいじょう》を〝生きる希望《きぼう》〟に変《か》えていったダンテに学ぶことは多いと思う。恋愛《れんあい》は、生きるバネに、生きる強さのバネにならなければいけないと私は思う。

＊　　＊

ある著名《ちょめい》な哲学者《てつがくしゃ》が言っていた。「世の中で大事《だいじ》なことは何か。それは平凡《へいぼん》であり、常識《じょうしき》であり、道理《どうり》である」と。

「青春時代」「社会に出る時代」「結婚《けっこん》する時代」などと、人生には時代がある。その時代を一歩一歩進《すす》んでいくのが道理である。

日常生活《にちじょうせいかつ》は地味《じみ》である。平凡である。毎日の努力《どりょく》は苦《くる》しいし、楽しいことばかりであるはずもない。それに比《くら》べると、恋愛には〝ときめき〟があり、ドラマがあるように思える。自分が小説《しょうせつ》の主人公《しゅじんこう》になったような気がする。

しかし、「面白《おもしろ》くないから」といって、歩むべき軌道を外《はず》れて恋愛に飛《と》び込《こ》んでも、それは逃避《とうひ》である。夢《ゆめ》を見ているようなものだ。

恋愛に逃避しても、実際《じっさい》には、楽しいことばかり続くはずがない。むしろ、だんだん苦しいこと、悲《かな》しいことが増《ふ》えてくる。どんなに逃げても、自分からは逃《のが》れられないからである。

弱い自分のままでは、どこまでいっても、苦しみしかない。自分で自分を変えないで、喜《よろこ》びはないのだ。

幸福《こうふく》はだれかが与えてくれるものではない。恋人が与えてくれるのではない。自分が自分で幸福になっていくのである。そのためには、自分を大きく育《そだ》てるしかない。「自分を十分に生かす」しかない。自分の成長《せいちょう》や可能性《かのうせい》を犠牲《ぎせい》にして、恋愛をしても絶対《ぜったい》に幸福はない。「自分を十分に生かす」ことによって得《え》られる幸福こそ本物である。

十代のころは、まだ視野《しや》も狭《せま》く、自分を本当に生かす道を見つけていない。だから、恋愛が最高《さいこう》のように思ってしまう。しかし、人生は恋愛だけではないのである。

第一《だいいち》、何かから逃避するような恋愛では、相手に対《たい》しても、自分に対しても失礼《しつれい》であろう。あせってほしくない。若いのである。今は、自分を素晴らしい人間に磨くことだ。

本当の愛情は、もたれ合いではない。確固《かっこ》とした「自立の個人《こじん》」の間にしか生まれない。本当の恋愛をするなら、本気で自分をつくることである。

本当の恋愛によって、一人の人を愛することができ、その愛情が真実《しんじつ》であるならば、生涯《しょうがい》の苦楽《くらく》をともにする結婚への道を進むことが、至当《しとう》であると言えよう。恋愛は、幸福な結婚への真実を試《ため》す試練《しれん》の行為《こうい》と考えてほしい。恋愛とは、結婚という離陸《りりく》、上昇《じょうしょう》の成否《せいひ》を左右する滑走《かっそう》の時とも言えるのではないだろうか。

第2章《夫婦》

夫《おっと》は
古い安い望遠鏡《ぼうえんきょう》で
妻《つま》の心の世界《せかい》を眺《なが》めている。
だから
妻が何を欲《ほっ》し
何を言わんとしているか
どうすれば
すべてが
うまくいくかということを
細微《さいび》にわたって
人間の心の模様《もよう》がわからない。

妻は
宇宙《うちゅう》に飛《と》ぶ
人工衛星《じんこうえいせい》のごとく

一切の地上《ちじょう》を
片隅《かたすみ》までも
広く見渡《みわた》すと同じように
夫のすみずみまで
知《し》り尽《つ》くしている。
それでいて夫は
それも気づかず
昔《むかし》の権威《けんい》で
二十一世紀という
素晴《すば》らしい時代《じだい》も
わからずに
威張《いば》りくさっている。

母が
快活《かいかつ》な日々であると

家中《いえじゅう》の者《もの》は
みなが
躍《おど》り進んで楽しい。
母が
ご機嫌《きげん》ななめの時には
家中が苦渋《くじゅう》の思いを
持ちながら
母の心のなかを
見つめる暇《ひま》もない。

母は
強くて優《やさ》しい。
母は優しくて
あまりにも強い。

多くのテレビや雑誌《ざっし》で
英雄《えいゆう》ぶっている男たちも
巨大《きょだい》な母や妻の叱咤《しった》には
わびしく
母の瞳《ひとみ》を
見つめることはできず
逃《のが》れ去っていくに違《ちが》いない。

妻の幸福

深《ふか》い愛情《あいじょう》に結《むす》ばれた夫婦《ふうふ》にあっては、家庭生活《かていせいかつ》という現実《げんじつ》の一切が、二人の愛《あい》のきずなを強め、さらに深《ふか》めていく複合的《ふくごうてき》な糸となっている。

青年《せいねん》にとって結婚《けっこん》とは、ある場合はあこがれの的《まと》であり、ある場合は充実《じゅうじつ》した幸福《こうふく》の世界《せかい》であり、かと思うと、耐《た》え切れない重荷《おもに》になることもあるであろう。

結婚というのは、一般的《いっぱんてき》にいえば、もう後戻《あともど》りのできない出発点《しゅっぱってん》である。いわば、互《たが》いの夫婦《ふうふ》のきずなというところに背水《はいすい》の陣《じん》をしいたわけである。前に進《すす》まなければならない。

そして、幸《しあわ》せな家庭《かてい》を築《きず》かなければならない。

結婚によって、生活環境《かんきょう》はがらりと変《か》わり、責任《せきにん》は重く、苦労《くろう》は増《ふ》える。それが仮《かり》に夫《おっと》と二人きりのささやかな生活であるにせよ、共《とも》に、一つの家庭経《けい》済《ざい》を取りしきり、食事《しょくじ》をこしらえ、掃除《そうじ》や洗濯《せんたく》もしなければならない。夢見《ゆめみ》るような甘《あま》い幻想《げんそう》しか抱《いだ》いていなかった人にとっては、現実《げんじつ》はあまりにも厳《きび》しく、味気《あじけ》なく思われるかもしれない。また、夫に対《たい》しても、結婚前は美しい面《めん》しか見えなかったものが、何もかもさらけだされた結果《けっか》、幻滅《げんめつ》を覚《おぼ》えることはよくある例《れい》である。

結婚は、ある場合には二人の愛の結果であり、恋愛《れんあい》のゴールインかもしれないが、それはそのまま幸福へのゴールインではない。

何しろ、今まで互いに異《こと》なった環境の中で別々《べつべつ》に生活してきた男女が、一つの新しい共同《きょうどう》生活を始《はじ》めるのである。愛し合っているのだから何ごとも一致《いっち》できると思うのは誤《あやま》りであろう。

毎日毎日、実《じつ》にたくさんの食い違《ちが》いがあることを発見《はっけん》して、驚《おどろ》きの連続《れんぞく》なのに違いなかろう。

大は思想《しそう》や人生観《じんせいかん》の違いから、小は食べものの好《す》き嫌《きら》いに至《いた》るまで、二人の間にはいろいろな違いがあるものである。しかも、人間は感情《かんじょう》の動物《どうぶつ》でもあり、ちょっとした食い違いが感情の増幅作用《ぞうふくさよう》になって、思いがけない波乱《はらん》になってしまうこともある。

もっとも、波乱を恐《おそ》れてお互いに本心を話し合わず、不満《ふまん》と不信《ふしん》がうっ積《せき》して、ついに破《は》たんに陥《おちい》るより、思うことを何でも話し合うことのほうが、はるかによいと思う。

理想的《りそうてき》な結婚は、仮に恋愛が〝美しい誤解《ごかい》〟であったことに気づいたとしても、互《たが》いにそれをカバーし合い、守《まも》り合っていく「理解」と「忍耐」によって、営《いとな》まれていくものであろう。

＊　＊

二人が、家庭という、きわめて現実的な、共通の生活の基盤《きばん》に立たない間は――つまり、単なる恋人同士《こいびとどうし》である段階《だんかい》では、わがままを言っても、それほど衝突《しょうとつ》することはないであろう。

しかし、夫婦となると、一方のエゴイズムは、必《かなら》ず他方《たほう》の犠牲《ぎせい》を伴《ともな》わずには成《な》り立たない。したがって夫婦間の愛情は、時には自《みずか》らを犠牲にしてでも、相手《あいて》に尽《つ》くしていくものにならざるを得《え》ない。

恋人の場合は、愛というものをきわめて純化《じゅんか》された形でとらえるのに対し、夫婦の、このように現実の生活が厳しくからんだ愛は、ともすれば、不純《ふじゅん》なもののように見られやすい。だが、それは浅《あさ》い考え方《かた》だと、私は思う。深い愛情に結ばれた夫婦にあっては、家庭生活という現実の一切が、二人の愛のきずなを強め、さらに深めていく複合的《ふくごうてき》な糸となっていると言えまいか。

私が、献身的な愛を強調するのは、押《お》しつけられた自己犠牲を言うのでは決《けっ》してない。献身的な愛とは、もはや犠牲ではない。むしろ自己蘇生《そせい》というべきであろう。

生きがいとは、自分が自分の理性《りせい》で、そこに理想を見いだし、自分の主体的な意志で、自己の生命《せいめい》を燃焼《ねんしょう》させ切っていけることである。それは、あくまでも主体的なものであって、主体性が失《うしな》われれば、もはや、そこには生きがいはあり得ないだろう。

生命は、つねに完全燃焼を求めてやまない性向《せいこう》を持っている。問題はいかなる理想、いかなる対象《たいしょう》のために燃焼するかである。

夫と共に、子どものために、近隣《きんりん》のために、さらに自己の使命の道に生きゆく妻は、女性として、人間として、最も幸福であり、はた目に見るだけでも、清々《すがすが》しいものである。

よきパートナー

夫婦《ふうふ》は人生の伴侶《はんりよ》であると同時に、よき友人であるべきだ。友であれば当《とう》然《ぜん》、互《たが》いに助《たす》け合うべき存在《そんざい》だ。そこに妥協《だきよう》などない。互《たが》いの成長《せいちよう》のために叱咤《しった》もすれば、手も取《と》り合う。

イギリス人がよく「スイート・ホーム（幸福《こうふく》な家庭《かてい》）」と言うが、それも一家の太陽《たいよう》である母や妻《つま》の「笑顔《えがお》」あってのことだろう。

「笑顔」の女性《じょせい》には進歩《しんぽ》があり、彩《いろど》り鮮《あざ》やかな心の四季《しき》がある。笑顔はいわば、ふくよかに香《かお》る「心の花」である。また、互いを温《あたた》かく結《むす》ぶ、開《ひら》かれた「心の扉《とびら》」であり、「心の窓《まど》」でもある。扉の閉《し》まった家には入りようもないし、日がさす窓《まど》のない部屋《へや》は、まるで独房《どくぼう》である。そうした意味《いみ》で、笑顔は、幸福の「結果《けっか》」というよりも、むしろ「原因《げんいん》」だとも言えよう。

かつて、冬のさなか、私は急性気管支肺炎《きゅうせいきかんしはいえん》で、一時は四十度以上の高熱《こうねつ》を出し、医者《いしゃ》からは安静《あんせい》を強く求《もと》められた。けれども、「みんなが待《ま》っていてくれるので、どうしても行かなければならない」と、大阪《おおさか》から、和歌山《わかやま》、奈良《なら》、三重《みえ》と回ったことがある。

大阪に着《つ》くころ、心配《しんぱい》したそばの人が、私の様子《ようす》を妻に電話してくれ、急《いそ》いで東京《とうきょう》から妻が駆《か》けつけてきた。そのときの妻の笑顔が、大きな薬《くすり》となったことは確《たし》かである。

もともと私は体が弱かった。医師《いし》からも「三十前後まで生きられるかどうか」とささやかれた身《み》である。それを、食事《しょくじ》、睡眠《すいみん》、励《はげ》ましなど、妻が心をくだいてくれたおかげで、大きく乗《の》り越《こ》えることができた。これは妻の勝利《しょうり》であり、歴史《れきし》と思っている。

常《つね》に、いつ倒《たお》れるか、いつ病《やまい》に伏《ふ》せるか、という強行軍《きょうこうぐん》の毎日だった。仕事《しごと》も元気なうちにやり切ろうと思って、人の何倍《なんばい》もした。その毎日毎日が、すべて二人の人生の深《ふか》い歴史《れきし》であり、思い出となっている。

お互《たが》いの信頼《しんらい》に支《ささ》えられて、迫《せま》りくる試練《しれん》を乗り越えるごとに、夫婦愛《あい》はたくましく育《そだ》っていく。

月光《げっこう》を浴《あ》びて互いを見つめあう感傷《かんしょう》の苗木《なえぎ》から、人間愛の華麗《かれい》な花を咲《さ》かせつつ、試練の風雪《ふうせつ》に耐《た》えぬく大樹《たいじゅ》となり、未来《みらい》を目指す希望《きぼう》の果実《かじつ》を枝《えだ》もたわわに実《みの》らせていくのである。

＊　＊

夫婦は、一人の人間同士として対等に付き合い、共通の目的へと成長していく、いわば「パートナー」としての自覚《じかく》が大切だと思う。夫婦は人生の伴侶《はんりょ》であると同時に、よき友人であるべきだ。友であれば当然、互いに助け合うべき存在だ。そこに妥協などない。互いの成長のために叱咤《しった》もすれば、手も取り合う。傷《きず》つき、悩《なや》んでいるときには励《はげ》ましの言葉《ことば》を贈《おく》り、うれしいときには共に喜《よろこ》ぶ。

夫にとって妻とはそうあらねばならないだろうし、妻にとっての夫もそうである。

真《しん》の友であれば、苦難《くなん》を決《けっ》して避《さ》けないだろう。常《つね》に前向《む》きで人生の坂《さか》を、二人して登《のぼ》っていけるはずである。家庭も一つの生命体である以上、どちらが主《しゅ》であるとか、どちらが偉《えら》いとかいうことはない。一体なのである。

例《たと》えば、一つの歌は「詩《し》」と「音楽」との結婚ともいえる。そして一つの歌には、一つの歌としての生命がある。問題《もんだい》は、二人して、どんな美しい歌を歌うか……。ある意味で、「妻は夫の生命に共鳴《きようめい》し、夫は妻の愛情の大気の中に包《つつ》まれて生きる」と言えるのではないだろうか。また、その逆《ぎやく》に「夫は妻の生命に共鳴し……」とも言えるであろう。

生命は自分の中にだけでなく、人と人の間にもある。星に引力《いんりよく》があるように、最も身近《みぢか》な他人《たにん》である夫婦も、互いに影響を及《およ》ぼしあっている。その意味で、最も必要なのは、月並《な》みだが、温《あたた》かい「いたわり」と「思いやり」、何でも率直《そつちよく》に語り合う「信頼感」である。

また、二人三脚《ににんさんきやく》ゆえに、二人で成長し、前に進んでいかなければ、どちらも転《ころ》んでしまう。私がこれまで「創造家族《そうぞうかぞく》」「成長家族」を提唱《ていしよう》してきた理由《りゆう》の一つも、そこにある。

そして何よりも肝心《かんじん》なのは、「いい人生だった」と二人が満足《まんぞく》することである。

＊　＊

わが家の小さな庭《にわ》に、かなり大木になった二本の桜《さくら》がある。結婚三十周年の節目《ふしめ》に、その一本に「平安桜《へいあん》」、もう一本には「元禄桜《げんろく》」と命名した。毎年、花を咲かせるのを楽しみにしている。

満開の桜花《おうか》のもと、家族が集《つど》い、しばし語らう——ごく平凡《へいぼん》な暮《く》らしの一コマかもしれない。しかし、わが家らしい春の香りは、いつまでも私の心の片隅《かたすみ》で香《かお》り続《つづ》けている。

夫婦の心、家族の心——心には、距離《きょり》をも、時をも超《こ》える力がある。人生の年輪を重《かさ》ねるほど、心の力の偉大《いだい》さが身にしみてくる。

「いい心」には「いい人生」、「深《ふか》き心」には「深き人生」、「豊かな心」には「豊かな人生」が生まれる。

ともに向上

人々のため、社会のため、未来《みらい》のために、理想《りそう》を共《とも》に見つめ、励《はげ》まし合い、力を合わせて行動《こうどう》しゆく夫婦《ふうふ》は、同志《どうし》であり戦友《せんゆう》でもある。その美しききずなこそ、子どもたちや次《つぎ》の世代《せだい》に残《のこ》すべき最高《さいこう》の宝財《ほうざい》であろう。

「世《よ》の中が嵐《あらし》であるならば　家庭《かてい》は港《みなと》
人生が戦闘《せんとう》であるならば　家庭は勝利《しょうり》」
スペインの大詩人《だいしじん》マルキナの「妻《つま》」という詩《し》の一節《いっせつ》である。
社会の荒波《あらなみ》を乗《の》り越《こ》え、共に築《きず》きゆく仲良《なかよ》き我《わ》が家《や》は、人生の勝利の港である。
そして、平和《へいわ》な家庭こそ、平和な世界《せかい》を目指《めざ》す航海《こうかい》の起点《きてん》ではないだろうか。

＊　＊

夫婦といっても、もともとは他人《たにん》である。夫婦という価値観《かちかん》も変化《へんか》している。時につれて、お互《たが》いの感情《かんじょう》が変化してゆくことは、むしろ当然《とうぜん》かもしれない。

創価教育学《そうかきょういくがく》の創始者《そうししゃ》である牧口常三郎先生《まきぐちつねさぶろうせんせい》は、夫婦喧嘩《げんか》をこう諫《いさ》められたという。

「結婚式《しき》の晩《ばん》は喧嘩《けんか》をしましたか。しないでしょう。結婚の夕べにかえることです。お互《たが》い、水かけ論《ろん》では果《は》てしがない。もとの出発点《しゅっぱってん》に戻《もど》って再《さい》出発を！」と。

長い、かけがえのない人生である。何かあったら、再《ふたた》び原点《げんてん》に立ち返ればよい。そこからまた努力《どりょく》して、歳月《さいげつ》に色褪《いろあ》せぬ愛情《あいじょう》を深《ふか》めていくことができる。ここに、夫婦という一生《いっしょう》にわたるパートナーの妙味《みょうみ》があるのではないか。

夫婦の在《あ》り方《かた》を、大きく十年単位《たんい》で見れば、「恋愛《れんあい》」から「努力《どりょく》」に変《か》わり、ついで「忍耐《にんたい》」を経《へ》て「あきらめ」へ移《うつ》るのだろうか。そして、ついには「感《かん》謝《しゃ》」へと至《いた》る。そこまで来れば、途中《とちゅう》の葛藤《かっとう》はすべて幸福の彩《いろど》りとなる——そう論《ろん》ずる文豪《ぶんごう》がいたと記憶《きおく》する。

＊　＊

中国の周恩来総理《しゅうおんらいそうり》と夫人《ふじん》の鄧穎超《とうえいちょう》先生は、私と妻を息子《むすこ》夫婦のように慈《いつく》しんでくださった。

鄧穎超先生は、青年時代、周総理と二人で、心の底《そこ》から人民《じんみん》に奉仕《ほうし》することを約束《やくそく》されたと語られていた。そして、この誓《ちか》いは死《し》んでも変わらないと。

人々のため、社会のため、未来のために、理想を共に見つめ、励まし合い、力を合わせて行動しゆく夫婦は、同志であり戦友でもある。その美しききずなこそ、子どもたちや次の世代に残すべき最高の宝財《ほうざい》であろう。

「夫婦して共に年を重《かさ》ねる。
なんと嬉《うれ》しいことか！
多くの危険《きけん》をくぐり抜《ぬ》け
無限《むげん》の思いが育《はぐく》まれた。
同じ場所《ばしょ》で共に過《す》ごすことは
少なかったかもしれないが
革命《かくめい》の情宜《じょうぎ》は万年も変わることはない」

鄧穎超先生が周総理に捧《ささ》げた一詩《いっし》である。

純粋な生き方

足元にある日常生活《にちじょうせいかつ》の中に、慧眼《けいがん》と聡明《そうめい》さをもって、人生の究極《きゅうきょく》を見つめ、生涯《しょうがい》を何かに賭《か》けるという、自分らしき信念《しんねん》を持《も》つことである。

人間はいくつになっても、どういう立場になっても、愛情《あいじょう》を込《こ》めて育《そだ》ててくれた母には、頭《あたま》が上がらないものである。

私は、名もなく、貧《まず》しく、美しく、野辺《のべ》のたんぽぽのような笑顔《えがお》を忘《わす》れずに生涯《しょうがい》を送《おく》ってこられた、数多《かず》くの母たちを知《し》っている。

彼女たちは、平凡《へいぼん》といえばこれほど平凡な生き方はない人生の坂《さか》を、黙々《もくもく》と登《のぼ》り続《つづ》けてきた。

しかし、私は思うのである。その満面《まんめん》の笑顔に刻《きざ》み込《こ》まれた一本一本の深《ふか》い皺《しわ》に秘《ひ》められた、どんなに功成《こうな》り名を遂《と》げた人にも勝《まさ》るとも劣《おと》らぬ、風雪《ふうせつ》の年《ねん》輪《りん》の深《ふか》さを――。こうした時ほど、平凡を生きぬくことが、いかに非凡《ひぼん》なことであるかを痛感《つうかん》させられることはない。

母たちの中には、夫《おっと》に先立たれ、細腕《ほそうで》一本で子どもを育ててきた人もいる。想像《そうぞう》を絶《ぜっ》する病苦《びょうく》や貧困《ひんこん》、家庭不和《かていふわ》の中で、ひたすら一筋《ひとすじ》の光を信《しん》じ、戦《たたか》い抜《ぬ》いてきた人もいる。傍目《はため》には、受苦《じゅく》と忍従《にんじゅう》としか見えない場合もあるであろう。だが、彼女たちの笑顔は屈託《くったく》なく、ともかく明るいのである。宿命《しゅくめい》に泣《な》き、世《よ》を呪《のろ》ってきたような暗影《あんえい》は、微塵《みじん》もない。苦労《くろう》をいとわず、マラソンのような幾歳月《いくさいげつ》を踏破《とうは》してきた〝勝者《しょうしゃ》〟の満足《まんぞく》が、顔《かお》いっぱいににじみ出ている。私はそこに、現代《げんだい》社会で、ともすれば見失《みうしな》いがちな何ものかが秘《ひ》められているように感じられてならない。華《はな》やかな舞台《ぶたい》に立つロマン以上《いじょう》の、庶民《しょみん》の大地に息《いき》づく生命《せいめい》のロマンを見る思いがしてならないのである。

私の母も、父と共《とも》に海苔業《のりぎょう》を営み、くる日もくる日も、朝暗《くら》いうちから、浜《はま》に出て働《はたら》いていた。今になって思うことは、母は母なりに、人間として自己《じこ》の賭《か》けゆく場を見つけていたように思えてならない。

それゆえに、淡々《たんたん》としていて、自己の境遇《きょうぐう》に対《たい》して何の不平《ふへい》も愚痴《ぐち》もこぼさなかった。

その母の姿《すがた》から、貧富《ひんぷ》の差《さ》や境遇《きょうぐう》がどうであれ、それらを超越《ちょうえつ》した信念《しんねん》に生きる強さと粘《ねば》りがあるなら、心の豊《ゆた》かさは失《うしな》われないものだと、私は考えられるようになった。

＊　＊

私の書架《しょか》に、新田次郎《にったじろう》の『芙蓉《ふよう》の人』がある。富士山頂《ふじさんちょう》で、高度気象観測《こうどきしょうかんそく》に成功《せいこう》し、日本観測史に名前を刻《きざ》んだ野中到氏《のなかいたるし》の夫人《ふじん》である千代子さんのことが書かれている。

当時、まだ東京《とうきょう》の高台からは、富士山がくっきりと見えていた。富士は澄《す》み切った青空に、白い芙蓉の花を冠《かん》したように白雪《はくせつ》に輝《かがや》いて、屹立《きつりつ》していた。

その時には、夫人は、自分が、その富士の山頂で雪との格闘《かくとう》を味《あじ》わわなければならないとは、まだ夢《ゆめ》にも思っていなかった。女の美徳《びとく》は耐《た》えること、夫がいかなる道に進《すす》もうと従《じゅうじゅん》順に従うことこそが女性の道であると信じる、明治《めいじ》、大正《たいしょう》の典型的《てんけいてき》な女性であった。

だが、彼女の胸の内には、夫婦《ふうふ》とはいったい何か、女性の真《しん》の生き方は、という問いが常に去来《きょらい》していた。それは、ときには耐《た》えがたい悲《かな》しみでさえあった。

厳冬期《げんとうき》の気象観測に情熱《じょうねつ》をかける夫の前に、彼女の心は、子どもを育て、家庭を守《まも》ることのみで、いやされるものではなかった。彼女は長女を祖母《そぼ》に預《あず》け、富士登頂《とうちょう》を決行するに至《いた》る。夏ならいざ知らず、極寒《ごっかん》の冬である。

長期間《ちょうきかん》の山頂滞在《たいざい》で二人は重症《じゅうしょう》の高山病《こうざんびょう》にかかった。

しかも、救出《きゅうしゅつ》されて下山《げざん》した二人を待っていたのは、長女の死《し》であった。

＊　＊

私は『芙蓉の人』の解釈《かいしゃく》を、ここで論《ろん》ずるつもりはない。『人形《にんぎょう》の家』のノラの日本版《ばん》とするようなとらえ方もしたくない。ただ、「芙蓉の人」の心情《しんじょう》が惻々《そくそく》と伝わってくることだけは確《たし》かだ。

彼女は自分の賭《か》けるものを発見《はっけん》したのかもしれない。信念《しんねん》に対する生き方というものが、実に小気味《こきみ》よいほどにあふれている。

初々《ういうい》しい清冽《せいれつ》な情熱《じょうねつ》を秘めた、生きるということへの純粋な気持《きも》ちが伝わってくるようである。

夫への愛のあかしと人は言うかもしれない。しかし、私は、彼女が夫の観測の仕事《しごと》を通して知った、一つの信念《しんねん》に徹《てっ》するという人生の使命に賭けたのではないかと思えてならないのだ。彼女の生き方の美しさが読者《どくしゃ》に、静《しず》かに深く語りかけるのは、その辺《あた》りに秘密《ひみつ》があったと見る。ちょうど、華岡青洲《はなおかせいしゅう》とともにその妻が、医学《いがく》に賭けていたように。

一人の女性の生き方を、その内包《ないほう》する生命でとらえるとき、不思議《ふしぎ》なほどの輝《かがや》きを増《ま》すものである。

人は献身《けんしん》をたたえ、愛を誇張《こちょう》するかもしれない。私は、女性ならではの人間らしさの表《あらわ》れだと思っている。

人生には坂あり、谷《たに》あり、波浪《はろう》ありである。そこから敗北《はいぼく》の裏街道《うらかいどう》へ進む人もある。

また、それらを真《ま》っ向《こう》から乗《の》り越《こ》えて燦々《さんさん》たる太陽《たいよう》を浴びて内実《ないじつ》の美しさをたたえる人もいる。

それは、足元にある日常生活の中に、慧眼《けいがん》と聡明《そうめい》さをもって、人生の究極《きゅうきょく》を見つめ、生涯《しょうがい》を何かに賭《か》けるという、自分らしき信念《しんねん》があるかどうかにかかっていると、私は考えたいのだ。

いつまでも若々しく、瑞々《みずみず》しい純粋《じゅんすい》な人間の生き方を、身近な生活の中で選びとっていきたいと切望《せつぼう》している。

第3章《親子》

いったい
母は
愚《ぐ》なのか
賢《けん》なのか
凡夫《ぼんぷ》なのか
天才《てんさい》なのか
家事《かじ》の労働者《ろうどうしゃ》なのか
いな
人生の大博士《だいはかせ》なのか

僕《ぼく》は床《とこ》について
胸《むね》を押《お》さえながら
天井《てんじょう》を見つめながら
いつもいつも
何ものをも恐《おそ》れぬ

母の気高《けだか》き瞳《ひとみ》と
慈愛《じあい》の境涯《きょうがい》に驚嘆《きょうたん》するのだ。

父親が
息子《むすこ》や娘《むすめ》に
何も言えなくなった
黄昏《たそがれ》の時代《じだい》にあって
母親は
旭日《きょくじつ》が昇《のぼ》るがごとき
明るさと
力強さをもって
大音声《だいおんじょう》で
息子や娘にも
いつも変《か》わらず
しゃべりまくる。

どっかの国の
代議士《だいぎし》なんて
問題外《もんだいがい》だ。
どっかの国の
代議士なんて
一つも面白《おもしろ》くない。
誰《だれ》かが作った文を
棒読《ぼうよ》みしている姿《すがた》は
呆《あき》れて呆れて
呆れ返ると
母は大笑《おおわら》いしていた。

子どもへの愛

閉《と》じられた親の愛情《あいじょう》というものは、子どもの自立を妨《さまた》げる大きな障害《しょうがい》となる。親は、子どもが自立していくことを、決《けっ》して恐《おそ》れてはならない。親子の間に生じる不信感《ふしんかん》の最《もっと》も大きい原因《げんいん》は、親が子どもの自立を抑《おさ》えようとするところにあるのだ。

親が子に注《そそ》ぐ愛情《あいじょう》の深《ふか》さを、美しく表現《ひょうげん》した言葉《ことば》に〝子宝《こだから》〟がある。

万葉《まんよう》の歌人・山上憶良《やまのうえのおくら》は「銀《しろかね》も 金《くがね》も玉も 何せむに 勝《まさ》れる宝《たから》 子に及《し》かめやも」と、わが子への心情《しんじょう》を素朴《そぼく》に詠《よ》んでいる。

憶良にとって、子どもは文字どおり宝であったのだろう。また、子どもへの慈愛《じあい》の念《ねん》をわが胸《むね》のうちに確《たし》かめることが、最高《さいこう》の喜《よろこ》びであったに違《ちが》いない。

紀貫之《きのつらゆき》の『土佐日記《とさにっき》』の中にも、「世《よ》の中に 思ひやれども 子を恋《こ》ふる 思ひにまさる 思ひなきかな」とあり、吉田松陰《よしだしょういん》にも、処刑を前に詠《よ》んだ「親思ふこころにまさる 親ごころ けふの音《おと》づれ 何ときくらん」という一首《いっしゅ》がある。

これらの歌を通して、時代《じだい》を超《こ》え、立場の違《ちが》いを超えて、親と子の深い情《じょう》愛《あい》に生きてきた日本人の心情《しんじょう》が、しみじみと伝《つた》わってくるように思える。

欧米《おうべい》の社会と比較《ひかく》して、日本人の家族意識《かぞくいしき》は親と子の関係《かんけい》を軸《じく》に形成《けいせい》されてきたと、よく指摘《してき》される。

欧米のそれが、どちらかといえば、夫婦一世代《ふうふいっせだい》を中心に、子どもは別人格《べつじんかく》として扱《あつか》ってきたことに比《くら》べれば、親子の情愛の深さにおいて際立《きわだ》った特色《とくしょく》を見せているというのである。

さらに、親子の情愛といっても、特に親が子に注《そそ》ぐ情愛が深い。例《たと》えば、中国から儒教思想《じゅきょうしそう》を輸入《ゆにゅう》した時、儒教では、子が親に尽《つ》くす「孝《こう》」に重点《じゅうてん》が置《お》かれていた。しかし、それを日本流《りゅう》に解釈《かいしゃく》しなおして、親が子に注ぐ「慈《じ》」にも重い価値《かち》を置いたという歴史《れきし》もある。

かつて日本にやってきた外国人が、日本の親は自分が飢《う》えていても、子どもだけには食べさせていると言って驚《おどろ》いたそうだが、日本人の伝統的心情からすれば、それが当たり前のことである。

＊　＊

このような子どもに対して深い情愛を示《しめ》してきた日本人の親子観には、しかしながら親子心中《しんじゅう》という、もう一つの悲《かな》しむべき伝統がある。本来《ほんらい》〝心中〟とは、真心《まごころ》の意《い》である。考えてみれば、子殺《ごろ》しと自殺《じさつ》を組み合わせた残酷《ざんこく》な風《ふう》習《しゅう》を〝心中〟と呼んできた日本人の親子観には、わが子に対する、親のあまりにも一方的《いっぽうてき》な偏愛《へんあい》があると指摘《してき》されてもやむを得《え》ないだろう。

日本の親が、子どもへの深い情愛に生きてきたといっても、それを素直《すなお》に誇《ほこ》れないのは、そうした陋習《ろうしゅう》にいつ変質《へんしつ》するかわからないという脆《もろ》さを内包《ないほう》しているからなのかもしれない。

言ってみれば、日本人はわが子を無上《むじょう》の宝とする無償《むしょう》の愛と、親が自分の都合《つごう》で子どもをも道連《みちづ》れにする偏愛との両極端《りょうきょくたん》の間を、激《はげ》しく揺《ゆ》れ動いてきたようにも見える。

もちろん親子の一体感《いったいかん》は重要《じゅうよう》である。しかし、より重要なことは、それを社会に開《ひら》いていくかどうかであると思う。その点は、子どもの自立を重《おも》んじる欧米《おうべい》の教育《きょういく》のあり方を学んでいく必要《ひつよう》があるかもしれない。

社会という気流《きりゅう》を浮力《ふりょく》に変える「翼《つばさ》」のような愛情であってこそ、人生の安定飛行《あんていひこう》もできる。もしそれが、厚《あつ》い貝の殻《から》のように親子の関係を覆《おお》ってしまうような愛情であれば、たとえ社会の荒波《あらなみ》から身《み》を守《まも》ることはできても、海底《かいてい》の闇《やみ》の中で身を閉《と》じこもる以外《いがい》になくなってしまう。育児《いくじ》ノイローゼからわが子を殺してしまった母親、経済苦《けいざいく》から一家心中を図《はか》った父親——そんな暗《くら》いニュースに接《せっ》するたびに、親の偏愛《へんあい》に閉じ込められ、命を落《お》としていく子どもも、親も、かわいそうでならない。

閉ざされた親の愛情というものは、子どもの自立を妨《さまた》げる大きな障害《しょうがい》となる。私は、子どもが自立していくことを、決して恐れてはならないと思う。幼児期《ようじき》であれ、青少年期《せいしょうねん》であれ、親子の間に生じる不信感《ふしんかん》の最も大きい原因は、親が子どもの自立を抑《おさ》えようとするところにあるとさえ思える。

よく〝自分の子どもでありながら信じられなくなった〟とか、〝わが子でありながら何を考えているのかわからなくなった〟という親の嘆《なげ》きを耳にする。しかし、それは親の愛情という殻《から》を破《やぶ》って、自立していこうとする子どもの成長の表《あらわ》れである場合が少なくないようである。

＊　　＊

子どもには子どもの原理《げんり》があり、世界《せかい》がある。といっても、大人と対立《たいりつ》してみるところの子どもという世界だけではない。ある人が、「子どものなかに大人がある」と言っていた。子どもの心には、幼《おさな》い心とともに、きわめてすぐれて大人の自覚《じかく》が育《そだ》っているのである。

遅《おそ》かれ早《はや》かれ、子どもは自立していくものである。たとえ、親の思いどおりにいかなかったとしても、決《けっ》して狼狽《ろうばい》することはない。

一般的《いっぱんてき》にいって、人間の一生のうちでも、幼少期《ようしょうき》に培《つちか》われた素質《そしつ》が、その後の人生の方向とか人格形成《じんかくけいせい》に、大きな、本質的《ほんしつてき》な影響《えいきょう》を及《およ》ぼすものである。青年期が、人生の土台、骨格《こっかく》を築《きず》く時とするなら、幼少期は、さらに深く、その芯《しん》にあたる部分、つまり骨髄《こつずい》が形成される時期といえる。人間性の本質的《ほんしつてき》な面は、この時期につくられる。幼少期の子どもの好奇心《こうきしん》、冒険心《ぼうけんしん》、未知《みち》へのあくなき知識欲《ちしきよく》――こうした自立への心を、親として心豊《ゆた》かに見守《みまも》ってあげたいものだ。

教育する姿勢

ありとあらゆる未来《みらい》への萌芽《ほうが》を内包《ないほう》した幼《おさな》い生命《せいめい》への、厳粛《げんしゅく》な畏敬《いけい》の念《ねん》を抱《いだ》きつづける親であってはじめて、彼らの人間性《にんげんせい》を見事《みごと》に開花させる真実《しんじつ》の教育者《きょういくしゃ》たり得《う》る。

子どもが親を乗《の》り越《こ》えて、立派《りっぱ》な人間に成長《せいちょう》してくれることを願《ねが》わない人はいないであろう。その純《じゅん》なる子どもへの期待《きたい》が、ともすれば親のエゴを満足《まんぞく》させることに陥《おちい》っている場合が見受《みう》けられるのは遺憾《いかん》である。

親がなし遂《と》げられなかったことを子どもにさせたいと願うのは、人情《にんじょう》であろう。それは、親なればこその温かさ《あたた》である。だが、子どもの生命《せいめい》に内包《ないほう》する可能性《かのうせい》を温かく見守《みまも》り、これを育《そだ》てることを怠《おこた》るとき、それは悲劇《ひげき》となる場合もある。学歴偏重《がくれきへんちょう》の受験競争に走る母親や、成人《せいじん》しても〝精神的離乳《せいしんてきりにゅう》〟を果《は》たせない子どもなどは、親の過度《かど》の期待が生み出した悪《わる》い事例《じれい》ではないだろうか。

それは、子どもを愛していると思いながら、実《じつ》は親のエゴを子どもに投影《とうえい》した姿《すがた》であろう。親のエゴとは、結局《けっきょく》、親がなし遂《と》げられなかった過去《かこ》の幻影《げんえい》に過《す》ぎない。

それでは、未来に生きゆく子どもを、親の過去に戻《もど》す結果《けっか》になってしまう。過保護《かほご》、愛情《あいじょう》なき教育の両親に共通《きょうつう》するものは、子どもへの愛という美名《びめい》に隠《かく》れた親の利己心《りこしん》である。

たとえ、表面的《ひょうめんてき》には親子の愛に彩《いろど》られているようであっても、その愛は、他者《たしゃ》を犠牲《ぎせい》にして成立《せいりつ》する偏愛《へんあい》に過ぎない。偏愛は、結局、子どもの心にもエゴを植《う》えつけ、やがては親への反発《はんぱつ》になって返《かえ》ってくる。

＊　＊

子どもは親の延長《えんちょう》ではなく、新しい発芽《はつが》なのである。新しい発芽には新しい大地《だいち》が必要《ひつよう》である。そして、その大地とは、子どもはわが子にとどまるのではなく、社会の子であり、人類《じんるい》の子であるとの発想《はっそう》に立つところにあるように思える。

この発想に立って、わが子を見る親の心は、純《じゅん》なる子どもの生命に触《ふ》れて、子どもの閉《と》じた魂《たましい》を、開《ひら》かれた魂に変えていくに違いない。その開かれた魂は、おのずから、社会の人たちへの、また自然《しぜん》、宇宙《うちゅう》への温かい心情《しんじょう》を養《やしな》っていくであろう。さらに、万物《ばんぶつ》への感謝《かんしゃ》の念《ねん》をはぐくみ、自《みずか》らの生命を支《ささ》えるものへの真実《しんじつ》の姿に目を開いていくことであろう。

宇宙の中にあって、一個の人間生命ほど、底知《そこし》れぬ神秘《しんぴ》さをたたえた存在《そんざい》はないと思う。

たぐいまれな表現力《ひょうげんりょく》を秘《ひ》めた少年もいれば、自然美《しぜんび》への鋭《するど》い感受性《かんじゅせい》を備《そな》えた少女もいるであろう。人の心の内奥《ないおう》に分け入り、微妙《びみょう》な真理《しんり》のあやを見抜《みぬ》く才能《さいのう》に恵《めぐ》まれた子どももいるであろう。また、生来《せいらい》、想像力《そうぞうりょく》が旺盛《おうせい》で、アイデアの創造《そうぞう》に情熱《じょうねつ》を傾《かたむ》ける幼い生命も少なくないであろう。そして、激動《げきどう》の未来《みらい》を生きぬく根源《こんげん》の生命力も、そして勇気《ゆうき》もまた、子どもたちの心に備わった可能性《かのうせい》に他《ほか》ならない。

ありとあらゆる未来への萌芽《ほうが》を内包した幼い生命への、厳粛《げんしゅく》な畏敬《いけい》の念を抱きつづける親であってはじめて、子どもたちを深い愛情で包み込み、彼らの人間性を見事に開花させる真実の教育者たり得ると思うのである。

私の胸《むね》に、今、カントの有名《ゆうめい》な言葉《ことば》が蘇《よみがえ》ってくる。

「静《しず》かに深《ふか》く考えれば考えるほど、ますます常《つね》に新たに、そして高まりくる感《かん》嘆《たん》と畏敬《いけい》の念をもって、心を満《み》たすものが二つある。それはわが上なる星空と、わが内なる道徳律《どうとくりつ》である」（波多野精一訳『実践理性批判』岩波文庫）。

このカントの畏敬の念は、自然や生命にみなぎる荘厳《そうごん》な美と、底知れぬ神秘の前にたたずみ、その偉大《いだい》さに感嘆しあこがれる心を指《さ》しているのであろう。生命の秘宝《ひほう》への新鮮《しんせん》な憧憬《どうけい》は、そのまま天地とともに生きる歓《よろこ》びを引き起こし、人間相互《そうご》の豊潤《ほうじゅん》な愛への交流《こうりゅう》へと引き継《つ》がれていくことであろう。畏敬の念《ねん》の根底には、生きとし生けるものに対する敬虔《けいけん》な愛情《あいじょう》が脈打《みゃくう》っているからである。

＊　＊

教育とは、子どもの生命に内在《ないざい》する可能性を引き出すことである。

知識を教え込《こ》むことが教育であるとの偏見から解放《かいほう》され、海をも入れる大きな心で子どもの生命に対して畏敬の念をもって接《せっ》するならば、どれほど大きな子どもの可能性を開発《かいはつ》することができるだろうか。

仏法哲学《ぶっぽうてつがく》に「衆生《しゅじょう》は親なり仏《ほとけ》は子なり」との教えがある。これは通常《つうじょう》の考えを打ち破《やぶ》ったものであるが、仏ですら子の立場で、親である衆生に仕《つか》え、接してはじめて、衆生を導くことができるとの教えとも考えられよう。

これを応用《おうよう》するとき、子どもたちへの敬愛の心を持って、真摯《しんし》に仕え、学ぶ姿勢《しせい》で接するとき、あらゆる可能性に満ちた子どもの生命の傾向性を、素直にありのままに認識《にんしき》することができるに違いない。そして、この態度《たいど》こそ生への畏敬《いけい》の念《ねん》を抱《いだ》いた人の取るべき行いといえよう。

まさしく、子どもは未来からの使者《ししゃ》であり、未来を創造《そうぞう》していく担《にな》い手である。

二度とはかえってこない幼少時代《ようしょうじだい》。それゆえに、大人になってからの胸奥《きょうおう》に明暗《めいあん》の彩《いろど》りをくっきりと残《のこ》す大切な時期《じき》。だからこそ、私たちは、子どもの世界をより大きく広々とした空間《くうかん》にしてあげたいと願《ねが》わずにはいられない。

信じ合える親子

子どもの中に、どれだけの可能性《かのうせい》を発《はっ》見《けん》するか。そして、その可能性を信《しん》じて、それをどう伸《の》ばしていくかに、親の英知《えいち》を結集《けっしゅう》したいものである。

偉大《いだい》な文豪《ぶんごう》をはぐくんだ母のエピソードがある。

『童話集《どうわしゅう》』で世界《せかい》の子どもたちに親しまれているハンス・C・アンデルセンは、賢《かしこ》く詩才《しさい》豊《ゆた》かな父と、優《やさ》しい愛情《あいじょう》に満《み》ちた母のもとで、才能《さいのう》の芽《め》を伸ばしていった。

彼は物心《ものごころ》つくころから、文章《ぶんしょう》を書くのが好《す》きであった。十一歳の時、古い詩をもとにして戯曲《ぎきょく》を書き上げた。うれしさのあまり、それをだれかれなく読《よ》んで聞かせた。だが、まともに取《と》り合うものはなく、いたずらに嘲笑《ちょうしょう》を買うだけであった。

最後《さいご》に見せた隣《となり》のおかみさんには、さんざん揶揄《やゆ》されたあげく、「私は忙《いそが》しいんだ。そんな下手《へた》なものを聞いている暇《ひま》はないよ」と追《お》い返《かえ》される始末《しまつ》。目に涙《なみだ》さえ浮《う》かべて家に戻《もど》った彼を、母は美しく咲《さ》きそろった花壇《かだん》へ呼《よ》び寄《よ》せ、こう語《かた》った──どの花も、みんなきれいに咲き誇《ほこ》っている。けれどハンス、やっと土から顔《かお》を出した双葉《ふたば》をよくごらん。お前もこの二枚《にまい》の葉と同じように今は人の目を楽しませてはくれないけど、やがて立派《りっぱ》に花を咲かせ、人々を喜《よろこ》ばせる時がくるのです。さあ、元気《げんき》を出しなさい、ハンス――。

後年《こうねん》、本格的《ほんかくてき》な文筆生活《ぶんぴつせいかつ》に入った彼は、ことあるごとにこの日の母の言葉《ことば》を思い起《お》こし、自《みずか》らを勇気《ゆうき》づけたという。

私は、このエピソードに触《ふ》れ、たとえだれに見放《みはな》されようとも、わが子の伸びゆく〝芽〟をひたすら信じ、最後の慈愛《じあい》の砦《とりで》となって励《はげ》まし続《つづ》ける母の心《しん》情《じょう》に、強く胸打《むねう》たれるものがあった。

この母の心は、大自然《だいしぜん》へ注《そそ》ぐ農夫《のうふ》の愛情《あいじょう》に通じているのではあるまいか。地道で平凡《へいぼん》だが、粘《ねば》り強い農夫の労作業《ろうさぎょう》の一つ一つは、新しい生命《せいめい》をはぐくむために注がれている。静《しず》かに心を傾《かたむ》けていれば、そこに大自然のリズムと見《み》事《ごと》に溶《と》け合った雄大《ゆうだい》なシンフォニーを聴《き》くことさえできる。

そうした尊《とうと》き農夫の姿《すがた》は、無限《むげん》の可能性を秘《ひ》めた幼《おさな》い生命《せいめい》を、社会の風波《かざなみ》に抗《こう》して立派《りっぱ》に育《そだ》て上げていく親の役割《やくわり》そのもののように思われる。

親の愛情とは、太陽《たいよう》のごとくあるべきではなかろうか。

太陽の運行《うんこう》は不変《ふへん》である。不変であるからこそ、万物《ばんぶつ》は成長《せいちょう》するのである。もし太陽が自分の都合《つごう》で、気ままな運行を始《はじ》めたとしたら、どうだろう。たちまち自然《しぜん》のリズムは狂《くる》い、生あるものは死滅《しめつ》してしまう。

同様《どうよう》に、何があっても自分を信じ、愛情を注いでくれる親の存在《そんざい》ほど、子どもにとってありがたいものはない。

＊　＊

わが子を信じるといえば、教育作用《さよう》の一つに〝ピグマリオン効果《こうか》〟がある。

一説《いっせつ》には、ピグマリオンとはギリシャ神話に出てくる彫刻家《ちょうこくか》の名前といわれている。彼が理想《りそう》に描《えが》いた女性を象牙《ぞうげ》に彫《ほ》り上げ、それを命《いのち》ある妻《つま》として迎《むか》えたいと恋《こ》いこがれたところ、その願《ねが》いがかなってしまったという。この神話にちなんで名づけられたのが〝ピグマリオン効果〟という教育法であるとのことだ。

一人の泣《な》き虫の子どもがいたとする。あるお母さんは、わが子は本当《ほんとう》は明るい快活《かいかつ》な子だと信じている。たまたま泣くようなことがあっても、気にかけないで、おおらかに接《せっ》する。

ところが、もしお母さんが、その子を泣き虫で嫌《いや》な子だと思い込んでいたとしたら、どうなるだろうか。

当然、その子が泣けば、やっぱりと思い、それが知らずしらずのうちに子どもへの悪影響《あくえいきょう》になってしまうのではないか。

一個《いっこ》の人間には、周《まわ》りの接し方で、その役割なり、現実《げんじつ》なりが決《き》まってくる側面《そくめん》がある。

人間の心は、外からの影響を受けて変わるものだ。同じように人格もまた固《こ》定化《ていか》したものではなく、絶《た》えずダイナミックな進行《しんこう》を続けている。発展《はってん》もあれば、後退《こうたい》もある。だからこそ、周囲《しゅうい》がよい影響を与えることである。

子どもはパターン化《か》できないし、また、してはならないと思う。子どもの中に、どれだけの可能性を発見するか。そして、その可能性を信じて、それをどう伸ばしていくかに、親の英知を結集したいものである。逆《ぎゃく》に、子どもを〝泣き虫〟だとか〝出来《でき》の悪《わる》い子ども〟と決めつけて、励《はげ》ましを忘れてしまえば、結局、狭《せま》い心、かたくなな心、ひ弱な心を助長《じょちょう》させ、人格《じんかく》を後退させてしまうことにもなりかねない。

＊　　＊

子どもの自己形成《じこけいせい》は、まだまだ脆弱《ぜいじゃく》である。それだけに、雑草《ざっそう》を取り除《のぞ》き栄養《えいよう》を与《あた》える親の役割は大きい。しかし、栄養を与えず、毒薬《どくやく》を与えてしまったのでは、せっかく伸びかかった可能性の芽も、たちまち枯《か》れてしまうのが、道理《どうり》である。その毒薬は、意外《いがい》と親のエゴや子どもの自立を妨《さまた》げる投《な》げやりな言葉といった身近《みぢか》な中にあるものである。

人間は、本来、自然と共同生活《きょうどうせいかつ》を営《いとな》んできた。いや、大自然そのものが、一つの大きな調和《ちょうわ》の世界である。人間教育——それはひとえに未来《みらい》を創《つく》ることにほかならない。自然や他者と「共生」していく姿勢《しせい》を、親は自らの姿を通して教えていきたいものである。

「子どもは父母の行為《こうい》を映《うつ》す鏡《かがみ》」だという。親の姿自体が、子どもの心に焼《や》きついていくものである。

父親、母親の日常《にちじょう》の姿については、子どもは大人より鋭《するど》い観察者《かんさつしゃ》である。両親《りょうしん》はこの事実に気づかないものである。しかし、ときとして、ハッと思うような鋭い観察の言葉を耳にして驚《おどろ》く場合も、経験《けいけん》されていることと思う。この鋭い観察者が、やがて成長していくことを思えば、両親の人間としてのあり方が、いかに重要《じゅうよう》であるかがうかがえる。

家庭《かてい》は共同生活の最小単位《さいしょうたんい》の世界である。閉《と》じた家庭か、開《ひら》かれた家庭か。閉じた愛情か、開かれた愛情か——これは、実に社会の未来《みらい》をも決定づけるカギになってくるのではなかろうか。

子どもを信ずる親は、親を信ずる子どもを育てていく。親を信ずる子どもは、必ず立派に成長していくものである。そのためにも、信じ合える家庭を築《きず》いていきたいものである。

子どもに与えたいもの

知識《ちしき》の量《りょう》と人間としての豊《ゆた》かさは必《かなら》ずしも比例《ひれい》しない。幸福《こうふく》のカギはあくまでも、人生を賢明《けんめい》に、また悠々《ゆうゆう》と生き抜《ぬ》いていく「知恵《ちえ》」をどう薫発《くんぱつ》していくかにある。

イギリスの大詩人《だいしじん》ミルトンは、「心というものは、それ自身《じしん》一つの独自《どくじ》の世《せ》界《かい》なのだ、――地獄《じごく》を天国に変《か》え、天国を地獄に変えうるものなのだ」（平井正穂訳『失楽園』筑摩書房）と言っている。

人間の「心」の持《も》つ複雑性《ふくざつせい》と、その人生に及《およ》ぼす影響力《えいきょうりょく》のいかに大きなことか。私《わたし》は、子どもの教育《きょういく》も、この根本問題《こんぽんもんだい》を離《はな》れてはあり得《え》ないと思っている。

幼子《おさなご》といえども、厳《げん》として内なる心の世界が広がっている。その小さな宇宙《うちゅう》空間《くうかん》ともいうべき心の世界が、早《はや》くから汚染《おせん》されるようなことがあってはならない。闇《やみ》に包《つつ》まれ、スモッグに覆《おお》われるような環境《かんきょう》であってもならない。

幼《おさな》い心に、いつも七色の虹《にじ》のかかる天空のような、広々とした環境《かんきょう》をつくってあげたいものである。そして、できるだけ豊かなロマンを贈《おく》っていくことが大切であると思う。

長い長い人生をたくましくも美しく、美しくも雄々《おお》しく生き抜《ぬ》いていけるように、さまざまな幸福の種子《しゅし》を心の中に植《う》えていくことを、決《けっ》して忘《わす》れてはならないと思う。

＊　＊

かつて私は、さわやかな初夏《しょか》の風が吹《ふ》くドイツのフランクフルトの地を訪問《ほうもん》した。多忙《たぼう》なスケジュールであったが、その折《おり》、ゲーテの生家《せいか》を訪《おとず》れるひとときを得た。

それは、重厚《じゅうこう》な石造《いしづく》りの五階建《ごかいだ》ての家であった。戦災《せんさい》の後《のち》に復元《ふくげん》されたということであるが、偉大《いだい》なる文豪《ぶんごう》の若《わか》き日々を彷彿《ほうふつ》とさせるたたずまいが私の心に残《のこ》った。

そのとき聞《き》いたゲーテの少年時代《しょうねんじだい》のエピソードがある。

彼は八十二年という長き生涯《しょうがい》にわたり、いくつもの大作を残しているが、その豊かな創造力《そうぞうりょく》の淵源《えんげん》は、実《じつ》は幼き日の、母親との温《あたた》かくも、またほほえましい心の触《ふ》れ合いにあったというのである。

後にゲーテは、両親《りょうしん》への感謝《かんしゃ》を短《みじか》い詩《し》に託《たく》して詠《うた》っている。

父からは体格《たいかく》と
人生の厳粛《げんしゅく》な生き方とを　うけついだ
母からは快活な性格《せいかく》と
物語《ものがたり》をするよろこびを　うけついだ

（高橋健二訳『ゲーテ詩集』収録　新潮文庫）

彼の母は家庭的《かていてき》でしっかり者《もの》の、ごく平凡《へいぼん》なお母さんであった。彼女は、そこにいるだけで、春風《はるかぜ》のごとく周囲《しゅうい》の人々の心を温かく包み込《こ》んでいく女性であったという。

また、星にまつわる物語や、水や空気《くうき》、そして土などを人物《じんぶつ》に仕立《した》て上げて、想像力豊かに、わが子に語るのが得意《とくい》だった。

彼女にかかっては、周《まわ》りの自然界《しぜんかい》の出来事《できごと》がそのまま物語の素晴《すば》らしい題材《だいざい》となったのである。ゲーテは母のその物語の中から、生きとし生けるものの生の鼓動《こどう》を感《かん》じ取り、生命《せいめい》への畏敬《いけい》の念と慈《いつく》しみの心をはぐくんでいったに違《ちが》いない。

いつもゲーテは、大きな瞳《ひとみ》を輝《かがや》かせながら、じっと母の物語に聞き入っていたという。ときとして、お気に入りの登場人物《とうじょうじんぶつ》の運命《うんめい》が自分の思いどおりにいかないと、顔《かお》に怒《いか》りの表情《ひょうじょう》を表《あらわ》し、涙《なみだ》をこらえていることもあった。

そうしたとき、母は「この続《つづ》きはまた明日」と、物語を中断《ちゅうだん》するのが常《つね》であった。すると、ゲーテは必ず自分でその大詰《おおづ》めを想像し、おばあちゃんにだけそっと打《う》ち明けるのである。

ところが、お母さんは、それをこっそり聞き出してしまう。そして次の晩《ばん》、ゲーテの想像したとおりに物語を運《はこ》び、「当たったわ、そういうふうになったのよ」と結《むす》んだというのである。

ゲーテはもう夢中《むちゅう》になって、小さな心臓《しんぞう》がドキドキ波打《なみう》つほどであった。

ゲーテが「物語をするよろこび」を発見《はっけん》したのは、こうした幼児期《ようじき》の体験《たいけん》であったに違いない。ゲーテその人の才能《さいのう》もさることながら、母の役割《やくわり》がいかに大きいものであるかを、私はあらためて教《おし》えられる思いがした。

私たちの一日でいえば、少年期は、長い人生の「朝」と象徴《しょうちょう》できるかもしれない。

その子どもたちの「朝」を燦々《さんさん》たる光彩《こうさい》で包んでいくのは、朝日のような母の存在《そんざい》なのである。いつも明るく、いつも向上《こうじょう》する喜《よろこ》びを知《し》っている母は、たとえ平凡であっても、子どもたちには何よりの「心の財《たから》」を与《あた》えていくことができるであろう。

＊　＊

ゲーテの父にも印象深《いんしょうぶか》いエピソードが残っている。ゲーテは幼いころからさまざまな学問《がくもん》を厳《きび》しく勉強《べんきょう》させられた。

しかし、一説《いっせつ》によると、彼の父は、子どもが熱心《ねっしん》に勉強に励《はげ》んでいるのを、ただかたわらで眺《なが》めているだけではなかった。子どもが図画《ずが》の先生について教わるときには、自分も一緒《いっしょ》に手本を写《うつ》して学んだ。不得手《ふえて》のものは、子どもとともに勉強し直したというのである。

ゲーテはともに学ぶその父の姿《すがた》から、真剣《しんけん》な探究心《たんきゅうしん》をくみ取《と》っていったのではないか。

父から「人生の厳粛な生き方」を受け継《つ》いだと彼が記《しる》しているのは、このような思い出が胸中《きょうちゅう》深《ふか》くあったからでもあろう。

当然、時代も社会も家庭も異なる話であるが、子に対し父親が与えるべき一つの何かがここにあると、私には思われてならない。

＊　＊

勉学《べんがく》・知識の点では、いずれ子どもたちは親を追《お》い越《こ》すレベルに到達《とうたつ》するであろう。しかし、知識の量と人間としての豊かさは必ずしも比例しない。幸福のカギはあくまでも、人生を賢明に、また悠々《ゆうゆう》と生き抜いていく「知恵」をどう薫発《くんぱつ》していくかにあるからだ。

現代《げんだい》は、いまだかつてない情報化《じょうほうか》社会であり、知識を伝える仕組《しく》みは、過剰《かじょう》なほどに整《ととの》っている。

それに反《はん》して、人間として生きるに必要な知恵が、あまりにもなおざりにされてきたことは、多くの人々が指摘《してき》するとおりである。

私は、この意味からも、家庭教育はますます重《おも》みを増《ま》していくと考えている一人である。

親は子どもにとって、最も身近な人生の先輩《せんぱい》ともいえる。

平凡であってよい。地味であってもよい。失敗《しっぱい》もあってよい。しかし、人間としての確かなる「完成《かんせい》」、また、虚栄《きょえい》ではない真実の「栄光」を見つめた自らの生き方の軌跡《きせき》を、子どもに示《しめ》してゆける存在でありたいものである。

育てたい「大いなる未完成」

この世《よ》で最《もつと》もごまかしがきかないのが、わが子であろう。それだけに親自《じ》身《しん》が未完成《みかんせい》の自分を見つめ、大いなる完成《かんせい》へと挑戦《ちようせん》する姿《すがた》に、子どもは自《し》然《ぜん》のうちに最も大切な何かを学んでいく。

「大いなる未完成《みかんせい》」という言葉《ことば》が、私は好《す》きである。人間、一生涯《いっしょうがい》、勉強《べんきょう》であり修行《しゅぎょう》である。

一日一日が自分らしい「完成」への出発《しゅっぱつ》の日でなければならないと思う。あえて、その坂道《さかみち》を登《のぼ》りつづける歩みそれ自体が、人生の充実《じゅうじつ》と、生き生きとした幸福《こうふく》の実像《じつぞう》であろう。

子どもの教育《きょういく》においても、早《はや》くから小さく完成させようとする必要《ひつよう》はないと思う。また、一つの型《かた》にはめようと強《し》いることも、いつか無理《むり》が現《あらわ》れるに違《ちが》いない。むしろ「大いなる未完成」として、大樹《たいじゅ》へと育《そだ》ちゆく〝根《ね》〟を張《は》ることが最も重要《じゅうよう》な時代《じだい》である。

あるベテランの助産師《じょさんし》の方が語っていた。

「子どもを産《う》むのは母親《ははおや》。私たちはその手伝《てつだ》いをするだけです。でも、長い経《けい》験《けん》を振《ふ》り返《かえ》ると、子ども自身《じしん》が生まれようという力を持《も》っていて、母親でさえ、その手伝いをしているにすぎない気がすることもあります」と。

子どもは本来《ほんらい》、「伸《の》びよう」「成長《せいちょう》しよう」という生命《せいめい》の勢《いきお》いを持《も》っている。「三日見ぬ間《ま》に桜《さくら》かな」という句があるが、何かのきっかけで、ぐんぐん伸びていくときの子どもの成長の速《はや》さは、まことに目覚《めざ》ましい。私は、子育てとは基本的《きほんてき》には、この子どもの生命力の流《なが》れを正しく導《みちび》き、成長をはばむものを取《と》り除《のぞ》いてあげることだと思っている。

河《かわ》に土手があるように、誤《あやま》った方向《ほうこう》に流《なが》れないように、社会の大海に注《そそ》ぐまでの堤防《ていぼう》となる。これだけは、という人間としての基本《きほん》を身《み》につけさせていく。あとは「手を離《はな》しても、目を離すな」といわれるように、温《あたた》かく見守《みまも》り、激励《げきれい》していくことである。

古くから日本では、子どもの教育を〝しつける〟とか〝こやらい〟とか〝ひとねる〟などの言葉で表現《ひょうげん》していた。

〝しつける〟とは、しつけ糸の名にも残《のこ》っているように、相手《あいて》の性質《せいしつ》や状態《じょうたい》を考えながら、目ざす方向《ほうこう》にゆっくりと働《はたら》きかけ、形をととのえていく意味《いみ》がある。また〝こやらい〟とは、子どもをある方向へやり続《つづ》ける、後ろから押《お》し出し続けるという意味である。子どもの前に立って引っ張《ぱ》るという今日《こんにち》の教育とは逆向《ぎゃくむ》きである点が興味深《きょうみぶか》い。〝ひとねる〟とは「人練《ひとね》る」で、子どもを一人前の人へと練《ね》り上げていくことである。

これらに共通《きょうつう》するのは、それぞれの子どもの特質《とくしつ》を尊重《そんちょう》しながら、ゆったりと働きかけ、少しずつ社会の一員へと導《みちび》いていった日本人の「知恵《ちえ》」であろう。

学校《がっこう》教育であれ、家庭《かてい》教育であれ、あまりにも窮屈《きゅうくつ》になりすぎている現状《げんじょう》を見るとき、こうした先人《せんじん》の知恵を見直す時期《じき》にきているのかもしれない。

＊　＊

子どもは親の占有物《せんゆうぶつ》ではなく、一個《いっこ》の独立《どくりつ》した人格《じんかく》である。ゆえに大切なことは、子どもを親の虚栄心《きょえいしん》や依存心《いぞんしん》の〝手段《しゅだん》〟にしないことであろう。

フランスの作家ロマン・ロランの母は、彼が栄誉《えいよ》ある文学大賞《ぶんがくたいしょう》を受賞《じゅしょう》したとき、こう繰《く》り返した。「お前が成功《せいこう》と栄光《えいこう》とを喜《よろこ》んでいるのなら、ただそのために私も喜ぶ。しかし、お前が一人の善《よ》い人間であってくれるほうが母はうれしい。もしも、お前が幸福な家庭を持ち、別《べつ》に有名《ゆうめい》でもないといったふうであれば、一層《いっそう》うれしい」（片山敏彦訳『内面の旅路』『ロマン・ロラン全集17』みすず書房）と。

子どもの心は敏感《びんかん》である。自分がいささかでも親の虚栄心を満足《まんぞく》させる手段になっていると感じたなら、どんな豊かさに囲《かこ》まれていようとも、子どもの心の底《そこ》には、言い知れぬ寂《さび》しさと飢《う》えが刻《きざ》まれるに違いない。

＊　＊

子育《こそだ》ての要《かなめ》になるのは親自身の生き方である。喜劇王《きげきおう》チャップリンは「子どもの客《きゃく》ほどこわいものはない。本物でなければ笑《わら》ってくれない」と嘆《なげ》いた。

この世で最もごまかしがきかないのが、わが子であろう。それだけに親自身が未完成の自分を見つめ、大いなる完成へと挑戦する姿に、子どもは自然のうちに最も大切な何かを学んでいく。

子どもは親の背《せ》に学ぶという。しかし、だれしも自分の背は見えない。見るための鏡《かがみ》が子どもである。その意味では、子どもは自分を磨《みが》いてくれるありがたい存在《そんざい》であり、「子育て」は「自分育て」でもあるのではないだろうか。

とはいえ、互いに未完成の人間同士《どうし》である。教育も、ときには自分の弱さとの戦《たたか》いそのものとなろう。

「浄《じょう》」という字は「水《さんずい》」に「争《あらそ》う」と書く。ある詩人《しじん》はこの文字について、流れる水はいつも自分と争っているから「浄化《じょうか》」の力を持つのだとうたった。人間もまた、自らと争うことをやめたとき、よどんだ水のように、浄化と成長の力を失うのではないだろうか。

＊　　＊

山本周五郎氏《やまもとしゅうごろうし》に短編《たんぺん》『二粒《ふたつぶ》の飴《あめ》』がある。

娘《むすめ》が嫁《とつ》ぎゆく前日、母が贈《おく》ったのは、どこにでもありそうな二粒《ふたつぶ》の飴玉《だま》であった。母は語って聞かせた。

母の母親、娘にとって祖母《そぼ》にあたる人は、武士《ぶし》の夫を早く亡《な》くし、二人の子を筆舌《ひつぜつ》に尽《つ》くせぬ辛苦《しんく》の中で育てた。貧《まず》しい中にも祖母は常《つね》に温《あたた》かい微笑《びしょう》をたたえていた。そして、教《おし》えた。「亡くなった父上の子として恥《は》ずかしくない、正しい人間にならなければなりません。このことだけは決して忘《わす》れてはなりませんよ」と。苦労《くろう》のあまり、五年後、祖母は死《し》の床《とこ》についてしまう。そして、亡くなる前夜のこと。祖母は紙に包《つつ》んだ二粒の飴を取り出し、二人の子にすすめた。かつてないことであった。

——祖母は、できることなら、いつも飴をやりたかった。自分のは我慢《がまん》してでも、子どもの喜ぶ顔を見たいのが母親というものだ。しかし、祖母は我慢《がまん》に我慢を重《かさ》ねた。それは将来《しょうらい》のために「絶対《ぜったい》に甘《あま》やかしてはならない」と決めていたからだ。早くから苦しさ、つらさに鍛《きた》えられた者でなければ、どうしてものの役《やく》に立つ人間になれようか。このように考え、買い求めてあった飴をやらずにいた。しかし、せめて一度、二人の喜ぶ顔を見て死にたい……。

この祖母の話を聞かせた母は言った。「母親はだれしも心に飴を持っています」。そして、祖母の心を伝《つた》えたいために、今また二粒の飴を渡《わた》すのです。いつか、あなたの子にこれを伝えられる母になってくれるよう祈《いの》りながら――と。

祖母から母へ、母から娘へと渡された二粒の飴こそ、自らが「心の飴」と戦《たたか》うことで、子どもの大成《たいせい》をはかった〝母たちの遺産《いさん》〟だったのである。飴をやれぬ苦しさよりも、あえて飴をやらぬ苦しさ。

私は今、物質的《ぶっしつてき》に恵《めぐ》まれるほど、自《みずか》らの「心の飴」を見つめることが必要であると思えてならない。

第4章 《家族》

母！
母は　賢《かしこ》い
母は　強い
母と聞いただけで
そこに
安堵《あんど》がある！
幸福《こうふく》がある！
平和《へいわ》がある！

母と語れば
そこに
忍耐《にんたい》がある！
愛情《あいじょう》がある！
智慧《ちえ》がある！
母に　かなうものは

この世《よ》にはない！
高位高官《こういこうかん》の
権力者《けんりょくしゃ》といえども
母の上には立てない。
母の慈愛《じあい》からみれば
その勲章《くんしょう》も位《くらい》も
色褪《いろあ》せて
何の光も見えない。

母親の使命

母親は家庭《かてい》が最《もっと》も重要《じゅうよう》な教育《きょういく》の場であることに、もっともっと強い自覚《じかく》を持つべきである。子どもの一生を支《ささ》えゆく全人格《ぜんじんかく》の基盤《きばん》は、じつに母親による家庭教育にかかっている。

誰人《だれびと》にとっても、母親は魂《たましい》の故郷《ふるさと》であり、生命《せいめい》のオアシスである。いかなる境遇《きょうぐう》にせよ、産《う》まれ落ちたばかりの赤ん坊《ぼう》ほど、かよわい存在《そんざい》はない。この何の抵抗力《ていこうりょく》も、生活力もない幼《おさな》き生命《せいめい》に、強く、深《ふか》い愛情《あいじょう》をもって献身的《けんしんてき》に体当たりして、守《まも》り、育《そだ》ててくれたのが母親なのである。

この世《よ》に厳然《げんぜん》として生をうけ、一個《いっこ》の人間として人生を真摯《しんし》に生きゆくものの一人として、母の愛のいかに深く、尊《とうと》いかを痛感《つうかん》せずにはいられない。

女性の一生において、子を産み、育てる母親の仕事《しごと》ほど、苦労《くろう》の多いものはあるまい。さらにこれほど崇高《すうこう》にして、誇《ほこ》り高い任務《にんむ》もないであろう。女性としての幸福のひとつは、子どもを産み、産まれた子を全魂《ぜんこん》を込《こ》めて育て上げることではないだろうか。

逆《ぎゃく》に、女性の最大《さいだい》の不幸《ふこう》は、こうして育てあげたわが生命の分身《ぶんしん》を、不慮《ふりょ》の事故《じこ》や、戦争《せんそう》などによって奪《うば》い去《さ》られることである。私は今でも、長兄《ちょうけい》の戦死《せんし》の知《し》らせを受《う》け取《と》った時の母の悲痛《ひつう》な姿《すがた》が、忘《わす》れられない。母は私たちの前でさえ、涙《なみだ》を見せなかった。だが、急《きゅう》にふけこんだ。

私には母の悲《かな》しみが、痛《いた》いほどわかっていた。戦争の最大の犠牲者《ぎせいしゃ》は、女性であり、なかんずく母親であったろう。尊い母親たちを二度《にど》とこの悲しみに陥《おとしい》れては断《だん》じてならぬ。そのためには、どうしても恒久的《こうきゅうてき》な世界平和《せかいへいわ》を確立《かくりつ》しなければならない。また、それには、生来《せいらい》の平和主義者《しゅぎしゃ》である女性の考え方や力が、どれほど大きい影響《えいきょう》を与えていくであろうか——。

＊　＊

母親の子どもに与える影響の大きさは、はかり知れぬものがあるようだ。ドイツの偉大《いだい》な教育者《きょういくしゃ》フレーベルは「子どもは五歳《ごさい》までに、その生涯《しょうがい》に学ぶべきことを学び終《お》わる」と言い、英雄《えいゆう》ナポレオンは「子どもの運命《うんめい》は、常にその母親がつくる」とさえ言った。

大脳生理学《だいのうせいりがく》においても、人間の大脳は、五歳ぐらいまでで、その大部分《だいぶぶん》が完成し、その人の人格の基礎《きそ》は、そこで決まってしまうと言われている。その期間《きかん》、子どもにとって、最も密接《みっせつ》に関係《かんけい》する存在《そんざい》こそ、まさに母親なのである。つまり、子どもの生涯にわたる一切を決定《けってい》してゆく教師《きょうし》でもある。

子どもはいわば純白《じゅんぱく》の布地《ぬのじ》だ。母親の教《おし》えることや、しつけはもちろんのこと、何げないふるまいに至《いた》るまで、そのまま敏感《びんかん》に吸収《きゅうしゅう》し、いつのまにか染《そ》めあがっていく。古くより、「子どもは母親の鏡《かがみ》」と言われてきたが、いったん映《うつ》った像《ぞう》は、容易《ようい》に消《き》えず、生涯にわたって残《のこ》っていくところに、この鏡の厄介《やっかい》さがあるようだ。

では、子どもを育てるにあたり、母親はどういう心構《こころがま》えでのぞむべきか。一言でいうならば、それは、主体性《しゅたいせい》を重《おも》んじることだと私は思う。

しばしば、母親の愛情の献身的《けんしんてき》な一面《いちめん》が強調《きょうちょう》されるあまり、自己《じこ》を捨《す》てた愛情が美しいとされる傾向《けいこう》がある。子どもは、母親にどんなわがままを言っても、聞き入れてもらえると考えてしまう。もし、世《よ》の中すべてが、そんなものだと甘《あま》え根性《こんじょう》を持たせる結果《けっか》になったら、それは、長い厳《きび》しい社会の中の人生行路《こうろ》にあって、子どもにとっては不幸であろう。

子どもの幸せのためと思って苦労《くろう》したことが、かえって大きな目でみれば、不幸の原因《げんいん》をつくっていることになりかねない。

総《そう》じて、わが国の伝統的《でんとうてき》な育児法《いくじほう》は、幼児期に野放図《のほうず》なまでに甘《あま》やかすところに、欠点《けってん》があったといわれている。加《くわ》えて、学歴偏重《がくれきへんちょう》による厳《きび》しい受験事情《じじょう》が、教育と言えば知識《ちしき》の詰《つ》め込《こ》みだけとする一種《いっしゅ》の錯覚《さっかく》を起《お》こさせているようである。

母親は家庭が最も重要な教育の場であることに、もっともっと強い自覚と誇《ほこ》りを持つべきだと思う。少なくとも、現状《げんじょう》では、学校と教師は、子どもの全《ぜん》人生から見れば、その一分野《いちぶんや》について責任《せきにん》を持ってくれるに過ぎないともいえまいか。子どもの一生を支えゆく全人格の基盤は、じつに母親による家庭教育にかかっていると言わざるを得《え》なくなっていく。

＊　＊

また、母親に関して、子どもの最もきらうことは、愚痴《ぐち》をこぼすことではなかろうか。愚痴っぽさは、性格《せいかく》からくるのかもしれないが、努力《どりょく》によって必ず変えられるものである。常に毅然《きぜん》とした態度《たいど》を忘れず、イエスとノーをはっきりし、悩《なや》みに直面《ちょくめん》した時には、それをいかに乗《の》り切るかを、強く考えることである。

愚痴は、知恵を働《はたら》かせ、解決《かいけつ》しようと努力《どりょく》するより――困《こま》ったという感情《かんじょう》が先に立ち、嘆《なげ》くことから出るものであろう。嘆きを人に聞かせることは、いくぶんか心の慰《なぐさ》めにはなるが、事態《じたい》の解決《かいけつ》には少しも役立たない。愚痴を聞かされているほうは、やりきれぬ気持ちになってしまう。

人に好《す》かれ、子どもたちに慕《した》われるには、決して愚痴っぽくなってはならない。どんな悩みに対しても若々しく、敢然《かんぜん》と取り組んでいくことだ。根底的《こんていてき》には、その対象《たいしょう》がたとえ夫にせよ、子どもであるにせよ、浅《あさ》い依存心を捨《す》てることである。

自分の悩みを解決するのは、自分以外にはない。もとより、一つの家庭、一つの社会を構成《こうせい》している以上、互いにつながっており、手助《てだす》けしてもらわねばならぬことも当然であろう。しかし、主体者《しゅたいしゃ》はあくまで〝自分〟なのだという自覚《じかく》が大切となる。

＊　　＊

同じことは、子どもに対する接《せっ》し方についても言える。子どもといえども、独自《どくじ》の個性《こせい》を持った生命の主体者である。一個の平等《びょうどう》な人間としての尊厳《そんげん》を認《みと》め、その上に立った対話《たいわ》が行われなければなるまい。いつまでも子どもだと思っているうちに、いつのまにか大きくなってしまい、自分は、はるか昔《むかし》に置《お》きざりにされているかもしれない。

幼児《ようじ》の時代《じだい》から少年時代へ、少年時代から青年期《き》へと、子どもは、年を追《お》って見違《みちが》えるように成長《せいちょう》していく。ところが、その成長も、あまり身近《みぢか》で、いつも接していると、意外《いがい》に気づかぬものだ。かえって、少し離《はな》れ、冷静《れいせい》にながめている人のほうが、正しくとらえている例《れい》が珍《めずら》しくない。

親は成長していく子どもの姿《すがた》を正しく認識《にんしき》し、それにふさわしい対話を持続《じぞく》していくことである。そのためにも、母親は常に、自己自身《じこじしん》の成長をはかることが大切であろう。

意欲《いよく》さえあれば、いくらでも時間を生み、自己の成長にあてることも可能《かのう》なはずである。

母親になったからといって、自らの成長を忘れ、所帯疲《しょたいづか》れして、いたずらにふけこんでいくのでなく、常にはつらつと若々しく、子どもにとって誇りにされる母親であってほしいと願う。

父親のあり方

父親とは、家庭《かてい》を経済的《けいざいてき》に養《やしな》うだけの存在《そんざい》であってはならない。心理的《しんりてき》、精《せい》神的《しんてき》にも一家を養う存在でなければならない。

私は、インドのマハトマ・ガンジーの孫《まご》、アルン・ガンジー氏《し》（アメリカの「ガンジー非暴力研究所《ひぼうりょくけんきゅうじょ》」創立者《そうりつしゃ》）と親交《しんこう》を結《むす》んでいる。アルン氏の父マニラール氏は、マハトマの後継者《こうけいしゃ》として、世界《せかい》で最《もっと》も人種差別《じんしゅさべつ》の激《はげ》しい南《みなみ》アフリカ共和国《きょうわこく》で差別と戦った「非暴力の闘士《とうし》」であった。

アルン氏と、父マニラール氏に関するエピソードを思い出す。

それは、アルン氏が十六歳の時の出来事《できごと》である。お父さんを、三十キロ離《はな》れた町まで車に乗《の》せていった。お父さんが町で会合《かいごう》に出ている間に、買《か》い物《もの》をし、車の修理《しゅうり》をする約束《やくそく》だった。アルン少年は急《いそ》いで修理を頼《たの》むと、映画館《えいがかん》に飛《と》び込《こ》んだ。夢中《むちゅう》で観《み》ていた。

気がつくと、待《ま》ち合わせの時間を三十分も過《す》ぎている。あわてて車を引き取り、父のもとに駆《か》けつけた。心配《しんぱい》して待《ま》っていたお父さんに、つい「車の修理に時間がかかって、待たされた」と、うそを言ってしまった。お父さんは、だまされなかった。すでに修理屋《や》に電話《でんわ》していたのである。それなのに、叱《しか》らなかった。

父は言った。「本当のことを言う勇気《ゆうき》がない人間に、私が君を育《そだ》ててしまった。私が間違《まちが》っていたのだ！　私の何が間違っていたのか。それを考えるために、私は歩いて帰《かえ》る」

とっぷりと日は暮《く》れ、一面《いちめん》のサトウキビ畑で、街灯《がいとう》もなければ、道も舗装《ほそう》などされていない。ぬかるみの道を、父が黙々《もくもく》と歩く。少年は後ろから、父の足下をヘッドライトで照《て》らしながら、ついていくしかなかった。家まで五時間半かかった。

「父が苦《くる》しみ、悲嘆《ひたん》にくれて歩いている姿《すがた》を見て、私は『二度《にど》と、二度と、うそはつくまい』と心に刻《きざ》みました。もしも、この時、父から怒鳴《どな》られていたならば、きっと肩《かた》をすぼめただけで、また同じようなうそを繰《く》り返《かえ》していたでしょう」と、アルン氏は振《ふ》り返る。

＊　＊

悲哀《ひあい》や苦悩《くのう》を乗り越えて、立派《りっぱ》に子どもを育て上げた多くの家庭には、共《きょう》通《つう》の何かがあるように感《かん》じられる。

何といっても、家族《かぞく》みんなが、何か一つの目的《もくてき》に向《む》かって、励《はげ》まし合い、助《たす》け合って、明るく生き抜《ぬ》いているということだろう。さらには、親が、それぞれの子どもを、一個の独立した人格として尊重《そんちょう》し、信頼《しんらい》していることも共通しているように思われる。

もちろん、時には、子どもを強く叱責《しっせき》しなければならない場合もある。それは子どもの生命《せいめい》にかかわることであったり、あるいは子どもの将来《しょうらい》にとって、どうしても強く言っておかなければならないときである。根本的《こんぽんてき》には、子どもを信頼したうえでの叱責であり、心からの愛情の発露《はつろ》といえよう。あとは、子どもを自由奔放《じゆうほんぽう》にさせてあげたらよいと思う。

青少年の問題に関連《かんれん》して、必ずといっていいほど出てくる問題に、父親と子どもとの心の対話《たいわ》の欠如《けつじょ》がある。

仕事《しごと》に追われ、流されている親、夢《ゆめ》も希望《きぼう》もなく現実《げんじつ》の中にのめりこんでいる父親に対しては、子どもは語りかけたくても、そのきっかけもなく、入っていけるゆとりがないのであろう。

父親が、心ひろびろとゆとりを持《も》ち、また、そのようなゆとりの領域《りょういき》を広げていれば、それが自然に対話の共通の広場になっていくだろう。

父親は、家庭を経済的に養《やしな》うだけの存在であってはならない。父親というものは、心理的、精神的にも一家を養う存在でなければならない。

だからといって、特別《とくべつ》に構《かま》える必要《ひつよう》は、もとよりない。

毅然《きぜん》としていること自体が、充分《じゅうぶん》に頼《たの》もしいように、現実社会《げんじつしゃかい》の中に、懸《けん》命《めい》に生き、働《はたら》いている真摯《しんし》な姿勢《しせい》は、つくろわずして、家族に対する豊《ゆた》かな精神的栄養《えいよう》となると思うからだ。

父親は、家庭の細《こま》かいことや、子どもに対して、いたずらに、うるさい存在であってはならないだろう。毅然として男らしく、ある意味《いみ》では超然《ちょうぜん》としているべきだと私は思う。

母親はしつけに厳《きび》しく、教育などにも、ある程度《ていど》は口うるさい存在であってよいが、父親は、悠然《ゆうぜん》としていて一切を包容《ほうよう》していくような広さを持たねばならないと考える。

このような賢明《けんめい》さ、当を得《え》たしつけというものは、子どもの人生にとって、かけがえのない宝《たから》となり、父親に対する尊敬《そんけい》の念《ねん》は、生涯《しょうがい》にわたって消《き》えないものとなるに違いない。

親が子どもに残すべきもの

「自分自身《じしん》が進歩《しんぽ》しよう」「文化《ぶんか》の向上《こうじょう》を追求《ついきゅう》しよう」という親の生命《せいめい》の躍動《やくどう》の中にはぐくまれる子らは、幸せ《しあわせ》である。親が子に残《のこ》すものとは、結局《けっきょく》、そのような息吹《いぶき》に連《つら》ならせることだと思う。

昔《むかし》、読んだ本の中で、ある著名《ちょめい》な科学者の少年時代《じだい》の話に興味《きょうみ》をひかれた。大正のなかばごろ、家に電灯《でんとう》がともることになったという。もうガス灯《とう》のようにマッチで灯《ひ》をともす必要《ひつよう》はない、スイッチをひねるだけで明るくなる、と父親が言ったが、とても信《しん》じられなかった。

それで、やっぱりマッチを使《つか》うに違《ちが》いないと疑《うたが》っていた。ところがスイッチをひねるとガス灯の何倍《なんばい》もの明るさがともった。驚《おどろ》いて父に、だれが電灯を発《はっ》明《めい》したのか聞いたという。

父親は、翌日《よくじつ》、トーマス・エジソンの伝記《でんき》を買って与えた。少年は、小学校に入学するまで、毎日のように読んだという話である。

また、ある有名《ゆうめい》な社会科学者の小学校時代の話も出ていた。この人は、自他《じた》ともに認《みと》める読書家《どくしょか》で〝人生でいちばん長くいた場所〟が書斎《しょさい》だという。ところが、小学生のころは、本嫌《ぎら》いの劣等生《れっとうせい》だった。教師《きょうし》もサジを投《な》げたほどである。その少年に、本を読む大切さを教《おし》えてくれたのは、祖母《そぼ》であった。祖母は、祖父《そふ》が活躍《かつやく》した明治維新《めいじいしん》の話を何回も話して聞かせ、また漢籍《かんせき》に親しませた。さらに決定的《けっていてき》な原因《げんいん》としては、ある日、いじめっ子とケンカをして勝《か》ったことが何やら大きな自信《じしん》となり、本もどしどし読み、勉強《べんきょう》するようになった、という話である。

この二つのエピソードに、家庭《かてい》教育《きょういく》における教訓《きょうくん》をくみ取《と》ることができるように思う。それは、子どもの中に隠《かく》されている才能《さいのう》や自信の芽《め》を発芽《はつが》させるきっかけが大切であるということと、それにはさまざまなチャンスがあるということだ。

一冊《いっさつ》の本を与えた父親には、父に対する子どもの平素《へいそ》からの信頼感《しんらいかん》と、父側《がわ》からの愛情《あいじょう》といった要素《ようそ》が感《かん》じ取られる。

きっと、この父親は、本を読むことの大切さを知っていた人であろう。そういう土台があって、一冊の本が、一人の子どもから使命《しめい》の自覚《じかく》を引き出したわけである。

一方、後者《こうしゃ》は、ケンカでの勝利《しょうり》が自信の根源《こんげん》になったということで、この人は、勉強に向かわせることだけが教育ではないと言っている。画一的《かくいってき》な教育方法《ほう》では、本当に子どもの未来性《みらいせい》を引き出すことはできないということであろう。

しつけや教育に、こうでなければならないという決めつけは禁物《きんもつ》である。学歴《がくれき》と知識《ちしき》を第一《だいいち》とする学校・家庭《かてい》での教育であっては、子どもの個性《こせい》を押《お》しつぶしてしまうであろう。価値《かち》の多様化《たようか》の時代にあっては、「桜梅桃李《おうばいとうり》」――桜《さくら》は桜、梅《うめ》は梅――の言葉《ことば》どおりに、子どもの長所《ちょうしょ》を伸ばし、特性《とくせい》に合った生き方を選《えら》ばせてあげられるような環境《かんきょう》を、できるかぎり用意《ようい》してやりたいものである。

＊　＊

親は子に対し、しっかりした気概《きがい》をもって生きていくことを教えるのも、必要であろう。

吉川英治氏《よしかわえいじし》の句《く》に「はたらいた　おれにはあるぞ　夕涼《ゆうすず》み」（『吉川英治余墨』講談社）というのがあって、好きである。

〃人が精魂込《せいこんこ》めて書いたものは、二度と同じものは書けない〃と、作品《さくひん》と格闘《かくとう》しつつ、大衆《たいしゅう》文学に巨歩《きょほ》を残《のこ》した氏は、一つの気迫《きはく》をもって人生を生きた方であろう。

その氏が、心ひかれた光景《こうけい》がある。ご子息《しそく》の英明氏《ひであきし》の述懐《じゅっかい》によると、父母はあるとき、吉野山へ花見に行ったという。

「吉野山は花見客《きゃく》でにぎわっていたが、酔客《すいきゃく》の群《む》れから離《はな》れた所《ところ》で、草の上に坐《すわ》って桜を見ながら、ひっそりと弁当《べんとう》を食べている一組の老夫婦《ろうふうふ》の姿《すがた》に父は見とれた。

『文子（注《ちゅう》・夫人《ふじん》の名）、あれがほんとうの平和《へいわ》というものの姿だろうね。僕《ぼく》らも、もう少し年をとったら、また、ここに来て、ああして花見をしたいものだな』父はそう話した」――。（吉川英明著『父　吉川英治』文化出版局）

さまざまの重荷《おもに》を背負《せお》った幾十年《いくじゅうねん》の人生《じんせい》の末《すえ》に、平和《へいわ》で満《み》ち足りた時を、人生全体《ぜんたい》への感謝《かんしゃ》の心をもって過《す》ごせるようになるかどうか——それは、一次元から言えば、真剣勝負《しんけんしょうぶ》で生きたかどうか、その濃淡《のうたん》によると思う。

＊　＊

草木《くさき》が太陽《たいよう》の光と水の作用《さよう》によってはぐくまれていくという自然界《しぜんかい》の法則《ほうそく》と同じように、暖かき安穏《あんのん》と冷たき苦難《くなん》との人生の戦《たたか》いを繰《く》り返しながら、一つのその人なりの完成《かんせい》があるのではないだろうか。

「自分自身が進歩しよう」「文化の向上を追求しよう」という親の生命の躍動の中にはぐくまれる子らは、幸せである。親が子に残すものとは、結局、そのような息吹に連《つら》ならせることだと思う。

この生命の触《ふ》れ合いを、親から子へ、そして家庭から社会へと広げていきたいものである。

大切にしたい「風の心」

子どもは親の生き方という「風を学び」「風を継《つ》ぎ」ながら成長《せいちょう》していく。親の風体《ふうてい》、風貌《ふうぼう》、風采《ふうさい》として表《あらわ》れた文化、すなわち心のかたちに、なじんでいくのである。そして、家風をつくりゆく主体《しゅたい》こそ母親の姿《すがた》ではなかろうか。

新年《しんねん》を歌《うた》ったこんな古歌《こか》を記憶《きおく》している。

「あら玉《たま》の ひと夜《よ》ばかりを へだつるに 風の心ぞ こよなかりける」（『新編国歌大観　第2巻　私撰集編』角川書店）

大みそかから、たった一夜、いつもと変《か》わらぬ夜を隔《へだ》てたばかりなのに、吹《ふ》く風の趣《おもむき》まで異《こと》なり、ひときわ心新しく感《かん》じられるというのである。

「あら玉」は言うまでもなく「年があらたまる」という意味《いみ》の新年の枕詞《まくらことば》である。粗玉、荒玉、新玉などとも書き、〝掘《ほ》り出したばかりで磨《みが》かれてない玉〟のイメージが込められていたようだ。新たな一年は、いわば可能性《かのうせい》の宝《たから》を秘《ひ》めた原石《げんせき》であり、おのおのの努力《どりょく》で磨《みが》き、輝《かがや》かせていくべきものとの訓《おしえ》が含《ふく》まれているのだろうか。

それにしても「風の心」とは、何と日本的《てき》な表現《ひょうげん》であるかと感心《かんしん》する。

吹き渡《わた》るいのちなき風にも心を感じ、風の情《こころ》、文字どおり「風情《ふぜい》」の変化《へんか》を鋭敏《えいびん》に歌《うた》い込《こ》めているのである。もちろん新年に変わったのは〝風〟の側《がわ》ではない。人間の〝心〟である。滔々《とうとう》たる永遠《えいえん》の時の流《なが》れに区切《くぎ》りなどあろうはずもない。そこにあえて新年といい、節句《せっく》と称《しょう》して、季節《きせつ》のめぐりとともに気持《きも》ちを一新し、生活の惰性《だせい》を防いできたのが、先祖《せんぞ》の深《ふか》い知恵《ちえ》であったろう。

それとともに、私は「風の心」という何気ないもの言いの中に、色も形もないにもかかわらず、厳《げん》として存在《そんざい》し、すべてを動《うご》かしていく「こころ」という不思議《ふしぎ》を、「風」の一字に託《たく》して表《あらわ》してきた日本の伝統を興味深《きょうみぶか》く見るのである。

野面《のづら》を渡《わた》るさわやかな初風《はつかぜ》。着飾《きかざ》った乙女《おとめ》たちを優《やさ》しく包《つつ》む初春《はつはる》の空気の華《はな》やぎ。風の心が変わった――と言っただけで、自然《しぜん》や人々など森羅万象《しんらばんしょう》の微《び》妙《みょう》な変化《へんか》を、歌《うた》びとは示唆《しさ》することができた。そこに、〝心は風〟であり〝風は心〟であるとの深《ふか》い了解《りょうかい》があったからではないだろうか。

何も難《むずか》しい文学論議《ろんぎ》をするつもりはない。ただ、社会のさまざまな面《めん》で、わが国本来《ほんらい》の豊《ゆた》かな「こころ」が喪《うしな》われつつあることが指摘《してき》されて久《ひさ》しい。私は、それをより具体的《ぐたいてき》に言えば、それぞれの「家風」とか「校風」「学風」「社風」といった、先輩《せんぱい》から後輩《こうはい》へと伝《つた》えられてきたよき伝統《でんとう》の美風が衰《おとろ》えたところにあるのではないかと思うのである。

Aという学校を出た人には、どことなくAらしい雰囲気《ふんいき》というものがある。B校出身者《しゅっしんしゃ》には、やはり共通《きょうつう》するBのタイプがあろう。それらが、どこから生まれるかと言えば、その学校に吹いている目に見えない校風という風に違いない。

長い時間をかけ、多くの先輩によってつくられた独特《どくとく》の空気《くうき》を、知《し》らずしらずのうちに吸《す》い込《こ》み、体にしみ込ませているのである。文字どおり「薫陶《くんとう》」されたと言ってよい。

そして学校以上《いじょう》に、人間をつくる教育《きょういく》の場は、言うまでもなく家庭《かてい》である。恐《おそ》ろしいもので、その家庭の雰囲気というものは、玄関《げんかん》先に入るだけで直感《ちょっかん》的《てき》にわかることが多い。また、家族の姿《すがた》ににじみ出るものである。

例《たと》えば、おじぎの仕方《しかた》一つで、「いいな。素晴《すば》らしいな」と、さわやかな余《よ》韻《いん》を残し、ご両親《りょうしん》の「風格《ふうかく》」までしのばせる人がいるものだ。

家庭にどんな風が吹いているか。子どもはその家風を胸《むね》いっぱいに吸い込んで大きくなる。

「生活が陶冶《とうや》する」とはペスタロッチの至言《しげん》である。日常生活《にちじょうせいかつ》の隅々《すみずみ》まで取り巻く家庭の雰囲気が、子どもの心を内側《うちがわ》からはぐくんでいくのである。

＊　＊

こうした家風というものは、長い年月を通して、日々の繰《く》り返しの中で、親から子へと伝えられていくものである。それはある時は〝たしなみ〟とか、言葉《ことば》や礼儀《れいぎ》の〝しつけ〟として、また〝しきたり〟や〝ならわし〟などの約束《やくそく》事《ごと》として、あるいは家訓《かくん》などとして表現《ひょうげん》される場合もあろう。言ってみれば、その家庭の〝文化〟である。子どもは親の生き方という「風を学び」「風を継ぎ」ながら成長していく。親の風体《ふうたい》、風貌《ふうぼう》、風采《ふうさい》として表《あらわ》れた文化、すなわち心のかたちに、なじんでいくのである。そして、家風をつくりゆく主体こそ、やはり母親の姿ではなかろうか。

私は、日本の「こころ」と言っても、決《けっ》して儒教道徳《じゅきょうどうとく》のように型《かた》にはまったものではないと思う。夫婦の思いやり、子への愛情、老《お》いたる者へのいたわり、友人、知人《ちじん》への礼節《れいせつ》、いのちあるものへの慈《いつく》しみ……それらはすべて、人間としての飾《かざ》り気のない真率《しんそつ》な心情《しんじょう》を母体としている。そうでなければ、日本の「こころ」が、新しい時代《じだい》を開《ひら》き、つくりゆく活力あるかたちで蘇《よみがえ》ることはできないに違《ちが》いない。

明治以降《めいじいこう》、日本が人間の「こころ」の充実《じゅうじつ》を後回しにしてきた一因《いちいん》に関《かん》して、かつて夏目漱石《なつめそうせき》は、日本の文明開化《ぶんめいかいか》は他《た》の力でやむを得《え》ず無理《むり》に行《おこな》った「外発的開化《がいはつてきかいか》」であり、西洋《せいよう》のように、花がおのずから開くような本来《ほんらい》の「内《ない》発的開化《はってきかいか》」ではない、「一言にして言えば、皮相上滑《ひそううわすべ》りの開化である」と指摘《してき》した。

そして、上滑りであるゆえに、「こころ」はどこか空虚《くうきょ》であり、不満《ふまん》と不安から逃《のが》れられないのだと嘆《なげ》いたのである。

現代《げんだい》にも通じる本質《ほんしつ》を突《つ》いた言《げん》であろう。

私は、今こそ〝幸福とは何か〟〝人生をいかに生きるか〟という基本的《きほんてき》な問《もん》題《だい》を避《さ》けずに見つめ、考えていくことが最も大切なことであると思うのである。そして、そういう人間としての〝原点《げんてん》〟に立つことこそ、変化の激《はげ》しい現代にあって、日本の伝統のよさを次の世代が受け継《つ》いでいくカギであると信《しん》じている。

家風も校風も、そこに生きる人々とともに刻々《こっこく》と変わっていく。大切なことは、転変《てんぺん》する社会の風潮《ふうちょう》や多すぎる情報《じょうほう》に自己を見失《みうしな》うことなく、「これだけは」という人間としての基本《きほん》を教えていくことであろう。

「心に一人の厳《きび》しい教師《きょうし》を育《そだ》て上げることができたら、教育は一つの完成《かんせい》である」との言葉もある。

自《みずか》らを律《りっ》することのできる自立の人格《じんかく》をいかに鍛《きた》え、磨《みが》いていくか。教育する者《もの》も、される者も、ともどもにそうした人間としての〝原点《げんてん》〟に立って成長していくとき、はじめてそれぞれの家庭《かてい》・学校・地域《ちいき》・社会から、個性豊《こせいゆた》かな伝統の美風が、価値の〝新風《しんぷう》〟となって、現代へ、未来《みらい》へと自在《じざい》に駆《か》け巡《めぐ》っていくことができるのではないだろうか。

吹き渡る風に国境《こっきょう》などあろうはずもない。美しき日本のこころを最も豊かに身につけた人は、それだけで、国際《こくさい》社会に生きるうえでの最も大切な基本を持った人になるに違いない。

嫁と姑の協和音

仏典《ぶってん》には「昨日《きのう》は人の上、今日《きょう》は我《わ》が身《み》の上である。花が咲《さ》けば必《かなら》ず実《み》がなる。嫁《よめ》はやがて姑《しゅうとめ》になるものだ」と説《と》かれている。人に尽《つ》くす振《ふ》る舞《ま》いは、必ず自分の生命《せいめい》を飾《かざ》り守《まも》る力として結実《けつじつ》する。

私の大切な友人であるジャズの帝王《ていおう》ハービー・ハンコック氏《し》が、心通い合う合奏《がっそう》の喜《よろこ》びについて語られていた。

たとえば、一人が間違《まちが》った音を出してしまっても、次の瞬間《しゅんかん》、仲間《なかま》が、その音を取《と》り入れ、生かしてくれる。そして、より素晴《すば》らしい演奏《えんそう》へと高まる。

これこそ絶妙《ぜつみょう》の呼吸《こきゅう》だ。

日々の生活の中でも、信頼《しんらい》の心で快活《かいかつ》な協和《きょうわ》の音楽を奏《かな》でていけるならば、人生は、どれほど豊《ゆた》かに楽しく躍動《やくどう》するだろうか。

＊　＊

十五年にわたって姑《しゅうとめ》の介護《かいご》を続《つづ》けられた女性から、話を伺《うかが》ったことがある。

当初《とうしょ》は、幼《おさな》い娘《むすめ》の子育《そだ》てに加《くわ》え、身重《みおも》の体であった。「なぜ、こんなに苦労《くろう》を?」「自分は不幸《ふこう》だ!」という気持《きも》ちが拭《ぬぐ》えなかったという。

しかし幸《さいわ》い、地域《ちいき》や社会のために活動《かつどう》し、貢献《こうけん》する中で、相談《そうだん》できる先輩《せんぱい》や、愚痴《ぐち》を聞いてもらえる友人にも恵《めぐ》まれた。自分なりに試行錯誤《しこうさくご》を重《かさ》ねるうちに思い至ることがあった。「私よりもっと可哀想《かわいそう》なのは、寝《ね》たきりのお義母《かあ》さんなんだ」――。

その心の変化《へんか》に応《こた》えるように、姑も自分が頑張《がんば》らなければ嫁は自由《じゆう》に動《うご》けないと、協力《きょうりょく》してくれるように変《か》わっていった。

この女性は、同じ境遇《きょうぐう》の後輩《こうはい》には「自分に無理《むり》をしないで！」とアドバイスをするという。優等生《ゆうとうせい》になる必要《ひつよう》はない。時に摩擦《まさつ》があっても「喧嘩《けんか》できるくらい元気なんだ」と朗《ほが》らかに大らかに進《すす》むことだ、と。

仏典には、「昨日は人の上、今日は我《わ》が身《み》の上である。花が咲《さ》けば必《かなら》ず実《み》がなる。嫁はやがて姑となるものだ」と説かれている。人に尽《つ》くす振《ふ》る舞《ま》いは、必ず自分の生命《せいめい》を飾《かざ》り守《まも》る力として結実《けつじつ》することを教えた一節《いっせつ》だ。

病《やまい》と闘《たたか》った姑は、やがて家族《かぞく》に心から感謝《かんしゃ》しながら安らかに亡《な》くなられた。母の後ろ姿《すがた》に学んで祖母《そぼ》の面倒《めんどう》をみた娘さんたちも、多くの仲間《なかま》に慕《した》われ、立派《りっぱ》な女性に育《そだ》っている。振《ふ》り返《かえ》れば、悪戦苦闘《あくせんくとう》の一日また一日が、自《みずか》らの境《きょう》涯革命《がいかくめい》となり、一家の人間《にんげん》教育となっていた。

勝利《しょうり》の母は、尊貴《そんき》な笑顔《えがお》で語る。

「何があっても乗《の》り越《こ》えられる力を持つことこそが、最高《さいこう》の幸福《こうふく》でしょうね」

＊　＊

名演奏家《めいえんそうか》は、不協和音《ふきょうわおん》さえも巧《たく》みに活用《かつよう》して名曲《めいきょく》を創造《そうぞう》する。

わが家《や》もわが家らしく、成長《せいちょう》と充実《じゅうじつ》と和楽《わらく》のハーモニーを響《ひび》かせていきたいものだ。

第5章《生き方》

師《し》は言われた。
「人の不幸《ふこう》の上に
幸福《こうふく》を作るな。
それは　結局《けつきょく》は
自分自身《じしん》の不幸《ふこう》の結末《けつまつ》が
待っているからだ」

師は言われた。
「女性の幸福は
青春時代《じだい》では決《き》まらない。
青春時代は
一生の幸福の土台を築《きず》く
鍛錬《たんれん》の時代だ」

師は言われた。

「女性の幸福と勝利《しょうり》が
決定《けってい》されるのは
四十代　五十代からだ」

たしかに
本当の安定《あんてい》した幸福は
四十代頃《ころ》からでは
ないだろうか。

ある人は夫を持ち
ある人は子どもができ
そして
ある人は毅然《きぜん》と我《わ》が道で
それぞれに
一生の長い生活の

厳《きび》しい道を歩みゆく。
諦《あきら》めの人生なのか。
横着《おうちゃく》の人生なのか。
乗《の》り越《こ》えゆく人生なのか。
勝《か》ちゆく人生になったか。
やはり最終《さいしゅう》の幸福は
その年代《ねんだい》からで
あるかもしれない。
鏡《かがみ》の前に立てば
そのまま
わが身《み》が見える。
御聖訓《ごせいくん》には
「法華経《ほけきょう》は
人の形を浮《う》かぶるのみならず

心をも浮かべ給《たま》へり」と
記《しる》されている。
生命《せいめい》の明鏡《めいきょう》を持った女性は
わが心をも
正しく律《りつ》することができる。

わが生命を最大限《さいだいげん》に
充実拡大《じゅうじつかくだい》させながら
自身の人生を満喫《まんきつ》し
後悔《こうかい》なく
人々への貢献《こうけん》をなしゆく人は
人間らしい人間である。
ここに
人間の栄光《えいこう》の扉《とびら》が
開かれるからだ。

人間として生きる

人間であることを忘れ、妻《つま》なり、母親としてのみ生きようとする人生は、やがて惰性《だせい》に陥《おちい》り、家庭《かてい》の中に亀裂《きれつ》を生じてしまう。

二枚《にまい》貝の体内に生じた、美しい珠《たま》。――

私たちはそれを真珠《しんじゅ》と呼《よ》び、装飾品《そうしょくひん》に使用《しよう》している。普通《ふつう》、真珠は、母貝の中に、真珠のもとになる核《かく》が入れられ、その周《まわ》りに真珠層《そう》が形成《けいせい》されていくと言われている。気品《きひん》ある美しい真珠の奥《おく》に、核が秘《ひ》められていることに、ゆかしさが感《かん》ぜられる。

女性が妻《つま》であり、母である前に、人間であれと叫《さけ》ばれるのも、奥に秘められたものの尊《とうと》さを重視《じゅうし》するからなのだろう。

本当の〝よき妻〟であること、また〝よき母〟であることは、人間としての尊さを離《はな》れてあるものではない。

母である場合も同じである。母親は子どもにとって、人間としての先輩《せんぱい》であり、手本であり、鏡《かがみ》であるということができる。

子どもは、母親の姿《すがた》を通して「人間としてのあり方」を学びとっていくものなのだ。

人間であることを忘れ、妻なり、母親としてのみ生きようとする人生は、やがて惰性《だせい》に陥《おちい》り、家庭《かてい》の中に亀裂《きれつ》を生じていくに違《ちが》いない。

少し厳《きび》しい話になるが、人生において、いつまでも妻であり、母であることはできない。

極端《きょくたん》な例《れい》をいうようだが、妻としての幸福《こうふく》のみを追《お》い求《もと》めても、それは夫の存在《そんざい》によって左右《さゆう》されるものである。そしてその夫は、また絶対的存在《ぜったいてきそんざい》ではあり得《え》ない。事故《じこ》や病気《びょうき》で先立つかもしれない。

母親としての身《み》も同様《どうよう》である。どんなに子どもに愛情《あいじょう》を注《そそ》いだとしても、その子の人生にどのような運命《うんめい》が待《ま》ち受《う》けているか、はかり知《し》ることは、不可能《ふかのう》であろう。

まして、成人《せいじん》し、自分の家庭《かてい》を持つようになっていったとき、母親から離れていくことは、また当然《とうぜん》の道理《どうり》である。

妻の座《ざ》にいたずらに安住《あんじゅう》して、他者に依存した幸福のみを追い求めるならば、子どもを独立《どくりつ》させ、伴侶を失った後に残《のこ》るものは、ポッカリ口をあけた多大な空洞《くうどう》であろう。人生の終盤《しゅうばん》をそうした空虚《くうきょ》な中に過《す》ごさなければならないとすれば、寂《さび》しいことだ。

＊　＊

いかなる人生であれ、究極的《きゅうきょくてき》に帰結《きけつ》するところは、人間として、どのように生きるか、ということである。言い換《か》えると、人間として幸福であったかどうかということが、その人の人生全体の総決算《そうけっさん》となる。

私は折《おり》に触《ふ》れ「妻として」「母として」の現代《げんだい》女性の生き方を述《の》べてきたが、結局、それも、最後は人間としてどうあるべきか、という問題になってくると言える。

「人間として」ということは「妻として」、また、「母として」よりも、さらに深い根底《こんてい》にあるものだ。当たり前のことを言うようだが、妻でない女性、母でない女性はあっても、人間でない女性はあり得ない。また、妻であり、母であったとしても、同時に人間であることからは、まぬかれないはずである。

つまり人間であるということは、私たち人間にとっては、一切の出発点《しゅっぱってん》であるとともに、一切の帰結点《きけってん》であり、あらゆる生き方の規範《きはん》というべきであろう。この自明の理《り》が失《うしな》われ、どこかに置《お》き忘れられているところに、現代人《げんだいじん》の最大《さいだい》の不幸があると言えるのではあるまいか。

＊　＊

それでは、人間として生きるということは、どういうことなのか。私は難《むずか》しい哲学論《てつがくろん》など話すつもりはさらさらない。しかつめらしく抽象的論議《ちゅうしょうてきろんぎ》をしたところで、かえって生活感情《かんじょう》からは遠《とお》ざかる一方であろう。

というのは、妻として、母親として生きるのとまったく違ったところに、人間として生きる道があるというのではないからである。さらに、兄弟《きょうだい》とか、親戚《しんせき》であるとか、隣人《りんじん》であるとか、広くいえば社会といったものと無関係《むかんけい》に「人間として生きる」ということがあるのではないと、私は思う。それらの本《ほん》質《しっ》を貫《つらぬ》くものとして「人間」があるということである。

あまりに平凡な言葉だが、思いやりとか、誠実《せいじつ》とか、折《お》り目の正しさといった、身近《みぢか》な人生の姿勢において、成長《せいちょう》していくこと、それが「人間として生きる」ということなのではないだろうか。簡単《かんたん》なことのようだが、実《じつ》は、この簡単なことが、意外《いがい》と難しいのだ。

人間はだれでも、いつのまにか「生活への馴《な》れ」といったものが忍《しの》び寄《よ》っていることに気づかぬ場合が多い。また、気づいても、それを打ち破《やぶ》る力を出し惜《お》しみするのである。そうした自然《しぜん》の流《なが》れに身《み》をゆだねていたほうが、気楽であるからだろう。私たちは、忙《いそが》しさの中にあって、そんなことを考えるゆとりすらないのかもしれない。

日常生活というものは、一見、何でもないようだが、ひとたびその連鎖《れんさ》を断《た》ち切ろうとするときには、もはやどうすることもできないような頑強《がんきょう》さを持っているものなのだ。日々の生活態度は、いつのまにか、それ自体で動いていくサイクルをつくってしまうからなのだろうか。

したがって、「人間として人間らしく生きる」という姿勢――常に成長していこうという姿勢を、日常の中に築いていってほしいと思うのである。自ら人間としての強い自覚《じかく》に立ち、人間として生きることの尊さを、各《かく》家庭の中に実現してほしいと願《ねが》うのである。

家庭という真珠貝《しんじゅがい》の核は、ほかならぬ「人間性」であり、そこに美しい和楽の珠《たま》が形成《けいせい》されていくと思う。

大げさなことを言うようだが、家庭という共同社会《きょうどうしゃかい》は、人類《じんるい》という共同社会の縮図《しゅくず》でさえあるのだ。その核となるものが「人間として人間らしく生きる」という素朴《そぼく》な命題《めいだい》なのであろう。

創造的生き方

悩《なや》み苦《くる》しんでいる人の心に入って、ふくよかな人間愛《にんげんあい》で包《つつ》み込《こ》むことこそ、まさに創造《そうぞう》という名にふさわしい、人間の行為《こうい》ではないだろうか。

私は、多く世界《せかい》を旅《たび》してきた。こよなく平和《へいわ》を求《もと》め続《つづ》ける世界の人々の心と心とを結《むす》ぶ架《か》け橋《はし》のようすがともなればとの、ささやかながらも固《かた》い決意《けつい》から生まれた旅路《たびじ》である。その道すがら、世界各地《かくち》の平凡《へいぼん》な市井《しせい》の婦人《ふじん》の生活態度《せいかつたいど》や振《ふ》る舞《ま》いに、身近《みぢか》に接《せつ》することができた。

アメリカにおいても、ヨーロッパにおいても、さらに中南米《ちゅうなんべい》やアジアにあっても、それぞれの生活様式《ようしき》や風俗習慣《ふうぞくしゅうかん》を異《こと》にしながら、婦人の明暗二態《めいあんにたい》が、そこに見られた。

一方では、幸《しあわ》せいっぱいで、喜《よろこ》びを体全体《ぜんたい》に表現《ひょうげん》している婦人がいるかと思えば、他方《たほう》では、夫の酒乱《しゅらん》や賭《か》けごと、怠惰《たいだ》、また子どもの問題《もんだい》などに、深刻《しんこく》に悩《なや》む姿《すがた》もあった。それはまた、日本の婦人とも軌《き》を一《いつ》にしたものであった。

期《き》せずして、私の胸《むね》に一つの言葉《ことば》が浮《う》かび上がってくる。それはトルストイの『アンナ・カレーニナ』の、有名《ゆうめい》な冒頭《ぼうとう》の一節《いっせつ》である。

「幸福《こうふく》な家庭《かてい》はどれもみな似《に》たりよったりだが、不幸《ふこう》な家庭は不幸のさまがひとつひとつ違っている」（木村彰一訳『世界文学大系41』筑摩書房）

家庭という言葉を婦人に置《お》きかえれば、私の世界各地での実感《じっかん》をかなり鮮明《せんめい》に伝《つた》えてくれるのではないかと思う。

確《たし》かに「不幸」という言葉でくくってしまえば一つだが、その実態《じったい》はさまざまである。おそらく、世界中の婦人の一人一人に接《せっ》してみれば、それぞれに悩みのかたちや原因《げんいん》は異《こと》なり、想像《そうぞう》もつかない悩みを抱《かか》えた婦人も出てくるに違いない。

しかしながら、私がその中に、世界に共通《きょうつう》した特質《とくしつ》を見いだすのは、どの婦人も、それぞれの不幸や逆境《ぎゃっきょう》に限《かぎ》りなく耐《た》えながら、これを切り開《ひら》こうとしていた事実《じじつ》である。

私が各国《かっこく》で見かけた婦人のけなげな姿《すがた》は、いまだに私の脳裏《のうり》に焼《や》きついて離《はな》れない。そして、不幸と闘《たたか》う世界の、そして日本の婦人の姿が、長年、私の心の中にある思いを、くっきりと浮かび上がらせてくれるのだ。

それは、こうした婦人の、けなげな、目に見えない活動《かつどう》が、実はいつの時代《じだい》にあっても、その時代を大きく支《ささ》え、はぐくんできたのではなかったか、ということである。これまでは、それが目に見えないだけに、あまり気づかれることもなく、見過《みす》ごされてきたように思う。

世界共通の婦人の姿を普遍化《ふへんか》するならば、そこに、今後《こんご》の女性の〝創造的《そうぞうてき》生き方〟が発見《はっけん》されるに違いない。それを明確《めいかく》に自覚《じかく》して、日々の生活、そして社会への働《はたら》きかけに邁進《まいしん》すれば、そのときこそ、新たな幸福像《ぞう》が描《えが》き出されるのではないだろうか。

＊　＊

女性は五障三従《ごしょうさんじゅう》といって、仏《ほとけ》になれず、「従《したが》う」ことが唯一《ゆいいつ》の人生指標《じんせいしひょう》である。世の中に何が楽しいといって、女に生まれなかったことほど楽しいことはない――という、女性から言わしむれば、まったく悪罵《あくば》の極地《きょくち》ともいうべき言葉が、堂々《どうどう》とまかり通ってきたのが、かつての男尊女卑的《だんそんじょひてき》社会だ。

この罵詈雑言《ばりぞうごん》に反論《はんろん》も許《ゆる》されぬほど、女性は、その人間的《てき》な芽生《めば》えを圧迫《あっぱく》され続《つづ》けてきた。独創的《どくそうてき》な生き方を望《のぞ》むべくもなく、ひたすら与《あた》えられたものを受《う》け入れつつ、自分のわずかな箱庭《はこにわ》に閉《と》じこもる以外《いがい》になかったようである。悲《かな》しいまでに創造《そうぞう》の芽《め》を摘《つ》み取《と》られた女性の、過去《かこ》の忍従《にんじゅう》の歴史《れきし》が浮かび上がってくる。

＊　＊

たしかに、女性と男性の生物学的《せいぶつがくてき》、肉体的差異《にくたいてきさい》を否定《ひてい》することはできない。

また、現代心理学《げんだいしんりがく》は一次元から、男性は論理的《ろんりてき》、抽象的能力《ちゅうしょうてきのうりょく》において優《すぐ》れているが、女性は感情的《かんじょうてき》、直感的《ちょっかんてき》に思考《しこう》する傾向《けいこう》があると指摘《してき》している。

感情的とか直感的という言葉は、論理性に欠《か》けた、短絡的《たんらくてき》な性質《せいしつ》として語《かた》られることが多いようだ。しかし、論理にとらわれ、柔軟《じゅうなん》な思考《しこう》を失《うしな》ってしまうことのほうが、豊《ゆた》かな感情《かんじょう》でものごとをとらえ、その本質《ほんしつ》を見通していく直感智《ちょっかんち》よりも、創造性に欠けることが多いように、私には思われる。

独創、創造ということを、ものの創造と考え、それに寄与《きよ》することのみが、文明の発展《はってん》に役立《やくだ》っていると考えるのは誤《あやま》っているのではないだろうか。創造ということをもっと広げて解釈《かいしゃく》する必要《ひつよう》があるのではないかと、私は考えるのだ。なぜなら、私たちの生活に密着《みっちゃく》して関係《かんけい》があるのは、ものそれ自体ではなく、人間と物、人間と人間の間に流《なが》れる価値《かち》だからである。

創造とは、見事《みごと》な芸術作品《げいじゅつさくひん》を生み出すこと、真理《しんり》を発見《はっけん》すること、難解《なんかい》な哲学《てつがく》を探究することなどに限《かぎ》られるわけではない。人の心の微妙《びみょう》な営《いとな》みを洞察《どうさつ》し、幸せへの道をともに開くことも創造であり、また、悩み苦しんでいる人の心に入って、ふくよかな人間愛で包《つつ》み込むことこそ、まさに創造という名にふさわしい、人間の行為ではないだろうか。

心の奥《おく》の、ひめられた感情や情緒《じょうちょ》に、ものの見事に反応《はんのう》する力は、女性に与えられた天分《てんぶん》とでも言えよう。知性がまだ気づかずにいる生命の内奥《ないおう》の動きをすばやくキャッチし、やさしい愛情で抱きとる行為の中に、女性でなければなし得ない、真実の創造の発露《はつろ》を見いだせるのではないか、と思うのである。それこそが、子を産《う》み育《そだ》てゆくという、宇宙《うちゅう》自体から託《たく》された役割《やくわり》を持つ女性の本然《ほんねん》の力であろう。

私は、聡明《そうめい》な女性の、優美《ゆうび》にして広い愛情こそが、庶民《しょみん》の生活と生命をつなぎ、人間らしい価値と幸福を開きゆく創造の、あまりに清《きよ》らかな泉《いずみ》であると確《かく》信《しん》している。

詩の心をもって

素朴《そぼく》な感動《かんどう》を失《うしな》い、乾《かわ》ききった心の大地。硬直《こうちょく》した傲慢《ごうまん》の岩山。みずみずしい蘇生《そせい》の水脈《すいみゃく》は、どこにあるのだろうか。私は人間の「詩心《しごころ》」こそ、その源泉《げんせん》であると思う。

川は生命《せいめい》を潤《うるお》す。川のそばに人は集《つど》い、文明も大河《たいが》の流域《りゅういき》から始《はじ》まった。反対《はんたい》に、カラカラに乾《かわ》いた不毛《ふもう》の砂漠《さばく》は、いわば〈死《し》の世界《せかい》〉であろう。ところが、世界的規模《せかいてききぼ》で急速《きゅうそく》に、この死の砂漠が広がり続《つづ》けている。

私は、地球《ちきゅう》を覆《おお》う砂漠化《か》が、人間の「心の砂漠化」をも象徴《しょうちょう》しているように思えてならない。素朴《そぼく》な感動《かんどう》を失《うしな》い、乾ききった心の大地。硬直した傲慢の岩山。みずみずしい蘇生《そせい》の水脈《すいみゃく》は、どこにあるのだろうか。私は人間の「詩心《しごころ》」こそ、その源泉《げんせん》であると思う。

物質文明《ぶっしつぶんめい》のコンクリートに囲《かこ》まれて、縮《ちぢ》こまり、窒息《ちっそく》しそうになっている人間の心が、実はどれほど広大な広がりを持《も》っていることか。私たちは、大自然《だいしぜん》とも対話《たいわ》できる心の世界の素晴《すば》らしさに目覚《めざ》めなければならない。そのためには、詩心が大切な使命《しめい》を持つというのが、私の年来《ねんらい》の考えである。

「この大砂漠界に、一人の詩人《しじん》あれよ」

「嗚呼《ああ》詩人は人類中《じんるいちゅう》に残《のこ》された唯《ただ》一つの人類なり」――これは明治《めいじ》の女性解《かい》

放《ほう》の先駆者《せんくしゃ》であった巌本善治《いわもとよしはる》が、日本の拝金主義《はいきんしゅぎ》と策略《さくりゃく》の社会を嘆《なげ》いて放《はな》った叫《さけ》びである。

＊　＊

詩心といっても何も特別《とくべつ》なものではない。一部《いちぶ》の専門家《せんもんか》のものでもない。ありのままの人間らしい感受性《かんじゅせい》のしたたりである。川は清冽《せいれつ》に流《なが》れ続《つづ》けるゆえに潤《うるお》いをもたらす。詩も日々、懸命《けんめい》に生きる中からほとばしる真情《しんじょう》の結晶《けっしょう》であろう。

ある作家が、こんな話を紹介《しょうかい》していた。

手のつけられない非行《ひこう》少年がいた。とうとう殺人未遂《さつじんみすい》まで犯《おか》し、少年院《しょうねんいん》の係官《かかりかん》もサジを投《な》げた。だれも彼の心の荒野《こうや》を潤すことはできなかった。ある日、遠《とお》くから面会《めんかい》に来た祖母《そぼ》が、変《か》わりはてた孫《まご》の姿《すがた》に泣《な》きながら、一冊《いっさつ》のノートを渡《わた》した。彼が五歳《ごさい》のときに死別《しべつ》した母親の育児日記《いくじにっき》だった。

「〇月〇日　雪はげしく降《ふ》る。乳《ちち》が出ず、A夫《お》が泣く。雪の中を隣町《となりまち》まで牛乳《ぎゅうにゅう》を買いに行く。雪道はつらかった。しばれる。でもA夫が喜《よろこ》んで牛乳を飲《の》むのをみると、嬉《うれ》しくて涙《なみだ》が出た。A夫、泣かずにねむれ。早く大きくなってけれ」

少年は一晩中《ひとばんじゅう》、夢中《むちゅう》で読み通した。そして、号泣《ごうきゅう》し、涙とともに、生まれ変わったように立ち直ったという。彼の「再生《さいせい》」をもたらしたのは、母親のひたむきな愛《あい》の叫《さけ》びだった。広告《こうこく》のチラシなどをとじただけの粗末《そまつ》なノートだったらしい。しかし私は、この育児日記は、いかなる著名《ちょめい》な詩人の書いたものにも劣《おと》らない一冊《いっさつ》の〝金《きん》の詩集《ししゅう》〟であると信《しん》じる。

＊　＊

また、子どもは天性《てんせい》の詩人である。しばしば大人では思いつけない天衣無縫《てんいむほう》の表現《ひょうげん》をする。あるお母さんは、子どもが幼《おさな》いころから、きらきらした光の粉《こな》のような会話を記録《きろく》して、数冊《すうさつ》の「ことば帳《ちょう》」を作ったそうである。これもまた親子共同《きょうどう》の心の詩集と言えまいか。

例《たと》えば、子どもと花を見たとする。最近《さいきん》の若《わか》いお母さん方の中には、いきなり「○○ちゃん、この花の名前は何?」と、つい〝お勉強《べんきょう》の時間〟にしてしまう人が多いと聞いた。知識《ちしき》の習得《しゅうとく》にかたよった教育《きょういく》のせいであろうか。まず「きれいねぇ」と感動《かんどう》する心が大切ではないかと私は思う。お母さんと一緒《いっしょ》にしばし見とれた花のことは、長く子どもの胸《むね》に刻《きざ》まれるに違《ちが》いない。

＊　＊

植物《しょくぶつ》を早く伸《の》ばそうとあせるあまり、茎《くき》を引っ張《ぱ》って根《ね》まで抜《ぬ》いてしまった子どもがいるという、笑《わら》えない話もある。人間も、豊かな心情《しんじょう》の大地に根ざしてこそ、知性《ちせい》は大木《たいぼく》に育つのではないだろうか。コンピューターが何でもやってくれるかのような錯覚《さっかく》さえ覚《おぼ》える昨今《さっこん》である。しかし、そういう時代《じだい》であるほど、人間としての総合力《そうごうりょく》を持った人物《じんぶつ》が要請《ようせい》されていることも、また事実《じじつ》である。

名著《めいちょ》『孤独《こどく》な群衆《ぐんしゅう》』を書いたD・リースマン博士《はかせ》が、ある対話の中で「これからの真の教育とは〝科学の中に詩〟を〝数学《すうがく》の中に美《び》とエレガンス〟を感じる人々をつくりだすことだ」と述《の》べていたことが印象的《いんしょうてき》であった。

社会にあっても、指導的《しどうてき》立場にある人々が豊潤《ほうじゅん》な詩心を失ったことが、どれだけ索漠《さくばく》たる味気《あじけ》ない世相《せそう》をつくっていることか。

文人《ぶんじん》・徳冨蘆花《とくとみろか》は「便利《べんり》を考えて詩を奪《うば》う文明の蚕食《さんしょく》（食い荒《あら》すこと）よ」と嘆いた。ヒーターは部屋を温めることはできる。けれども私たちの心を温める機械《きかい》はない。

そう、詩とは何より心の世界の真実《しんじつ》なのである。月光を「地球の衛星《えいせい》による太陽光線《こうせん》の反射《はんしゃ》」と見るのが科学の目としたら、例えば、「光のプレゼントが妙《たえ》なる夜を限《かぎ》りなく彩《いろど》る」と観《み》るのが詩人の眼《め》であろう。大切なことは、どちらも偽《いつわ》りではないことだ。

家族《かぞく》が「太郎《たろう》と花子が死んだ」と涙を流すとき、統計《とうけい》は「死者《ししゃ》二名」と冷《つめ》たく記録《きろく》する。だれとも交換《こうかん》できない、かけがえのない一人一人への愛情の中にこそ、詩は鼓動《こどう》している。

「どの野菜《やさい》は、どこの店《みせ》が安いか」と鋭《するど》く計算《けいさん》するのが経済《けいざい》の大切な立場である。と同時に、ときには野菜の色とりどりの個性美《こせいび》に目を見張《みは》る喜びがあってもよいと思う。私たちは値段《ねだん》のつけられない無限《むげん》の財宝《ざいほう》に囲《かこ》まれている。その幸福を、詩心は「発見」させるのである。

「目から鱗《うろこ》が落《お》ちる」という。幸福はいたるところにあり、よきものは足下《そっか》にある。大病《たいびょう》の後、久《ひさ》しぶりに歩いて仰《あお》ぐ日の光の美しさ。健康《けんこう》のみでは見えなかった宝《たから》を、苦労《くろう》による心の深まりが教えてくれる。メンデルスゾーンは、皆《みな》がうるさがるハエの羽音《はおと》を聞いて、名曲《めいきょく》『真夏《まなつ》の夜《よ》の夢《ゆめ》』の旋律《せんりつ》を着想《ちゃくそう》した。同じ環境《かんきょう》に住《す》んでいても、人の心の数だけ詩の世界がある。そして、美は、それに気づきさえすれば、大きく人間を育ててくれる。

生活には言葉にならない詩が数限りなくある。季節《きせつ》のかすかな変化《へんか》に敏感《びんかん》になること、道端《みちばた》の花にも足を止めてみる繊細《せんさい》さ、月が涼《すず》しければ、しばし明かりを消《け》して皆で見るゆとり、週《しゅう》に一度だけでもテーブルクロスをして食卓《しょくたく》を新鮮《しんせん》にする知恵《ちえ》、炎暑《えんしょ》の日は打《う》ち水で近隣《きんりん》までさわやかさを広げる喜び、草がきれいだなと思ったら、手近な紙にでもスケッチしてみる素朴な絵心《えごころ》。

雨の日には雨を楽しみ、風の日には風の声《こえ》に耳を傾《かたむ》ける。困《こま》っている人を見たら、すぐに体が動《うご》いていく。例えば、そうした「詩を生活する」お母さんの姿は、言葉以上《いじょう》に子どもたちの心をはぐくむに違いない。

また、そのしなやかな「感受性全開《ぜんかい》」の心は、多くのよき友を、多くの素晴《すば》らしき人生の劇《げき》を、あなたの周りに集めることだろう。

楽観的生き方のすすめ

「楽観的《らっかんてき》な考え方」を練習《れんしゅう》し、「楽観的な言葉《ことば》」を心に刻《きざ》みつけ、心に彫《ほ》り込《こ》んでいくべきである。楽観する「技《ぎ》術《じゅつ》」は、いったん、コツを身《み》につけたら、一生忘《わす》れない。自転車《じてんしゃ》や水泳《すいえい》のように。

二種類《にしゅるい》の人がいる。

例《たと》えば、職場《しょくば》や学校で、友人を昼食《ちゅうしょく》に誘《さそ》ったら、断《ことわ》られた。

そんな時、あなたなら、どう考えるだろうか？

「あの人は、私が好《す》きじゃないんだ」とか「私に魅力《みりょく》がないからだ」と考える人もいる。

「私と話しても楽しくないから……」

そう考えると、ほかの嫌《いや》なことまで思い出し、だんだん自分がつまらない人間に思えてきて、落《お》ち込《こ》んだ気分が続《つづ》く。

一方、断られても「あの人は、きょうは都合《つごう》が悪《わる》かったんでしょう。また誘《さそ》えばいい」と考える人もいる。

前の考え方は「悲観的《ひかんてき》」であり、後の考え方は「楽観的《らっかんてき》」である。

例えば、夫に「子どもたちをお風呂《ふろ》に入れて、寝《ね》かしつけておいてね」と頼《たの》んで出かけた。それなのに、帰《かえ》ってみると、みんなでテレビにかじりついている！

「まったく、私の言うことなんか、いつも無視《むし》するんだから！　どうして、こんな簡単《かんたん》な頼《たの》みさえ聞いてくれないの？　子どもに『早《はや》く寝《ね》なさい！』と、どなるのは、いつも私の役目《やくめ》？　私だけが、いつも悪役《あくやく》？」

怒《いか》りのあまり、ものも言わずに、テレビを消《け》し、子どもたちをベッドに追《お》い立てる。気まずい空気が続いた後、めいった気分で、くよくよと考え込む。

「ああ、嫌《いや》な私！」「でも主人がもっと理解《りかい》があれば！」「私を大事に思ってないから、こうなんだ」「この結婚《けっこん》は失敗《しっぱい》だったのかもしれない……」。憂《ゆう》うつは雪だるま式《しき》に大きくなる。

一方、「あらあら、きょうはどうしたの？　そんなに面白《おもしろ》い番組《ばんぐみ》なの？　どれどれ……。でも、そろそろおしまいの時間よ」。

〃きっと夫も、きょうは、子どもとくつろぎたい気分だったんだわ〃と、自分に言い聞かせて、怒りをおさえ、気分を切り替《か》えられる人もいる。

アメリカ心理学会のマーチン・セリグマン元会長によると、悲観的な考え方の特徴《とくちょう》は、三つある。

＊　＊

（１）一時的なことなのに、「いつも、そうだ」「ずっと、こうなんだ」と「永《えい》続的《ぞくてき》」に見てしまう（永続化）。

例《たと》えば上司《じょうし》に、がみがみ言われた。「あの上司は、まったく、嫌なやつだ」と考える。そう思い込むと、上司の嫌《いや》な点ばかりが目についてくる。

がみがみ言われたという〝一時的事実《じじつ》〟なのに、「いつも、そういう人間なんだ」と〝何をしても変わらない〟ように思い込む。

一方、楽観的な人は「きょうは、上司は機嫌《きげん》が悪いな。何かあったんだろう」と考える。「きょうのこと」に限定《げんてい》し、話を広げない。

（２）悲観的な人は、一つのことがうまくいかないと、すべてだめだと思ってしまう（普遍化《ふへんか》）。

例えば、数学が苦手《にがて》なだけで、「自分は勉強《べんきょう》がだめだ」と思う。例えば、一つの失敗を叱《しか》られると、「自分はダメな人間なんだ」「もう見込《みこ》みはないんだ」と落ち込む。

「叱られた点を直せばいいんだ」と思わないで、自分の全部《ぜんぶ》を否定《ひてい》されたみたいに思う。小さな黒点《こくてん》を、心の中で黒雲《こくうん》のように広げてしまう。そうなると、ますます失敗してしまう。悪循環《あくじゅんかん》である。

例えば、恋人《こいびと》に去られる。つらい。そのあまり、「もう男性《だんせい》なんか、だれも信じない」とか「私は、だれからも愛されないんだ」と思い込んでしまう。ありのままの事実は「あの人と私はうまくいかなかった」だけなのだが、そうは考えない。すっかり自信《じしん》をなくし、うつうつと苦《くる》しみを引きずって、輝《かがや》きをなくしてしまう。

その上、女性には「自分への否定的《ひていてき》な語りかけ」を繰《く》り返し反芻《はんすう》する人が多いようだ。

（3）悲観的な人は、悪いことが起《お》こると、自分のせいかと思い、良《よ》いことは、他人の力か、たまたまそうなったと思いがちである。

例えば、スポーツの試合《しあい》で負《ま》けた時、楽観的な選手《せんしゅ》やチームは「こういう日もあるさ」「相手の調子《ちょうし》が良すぎたね」と言う。自分たちのせいではないと考える。

ところが悲観的な選手やチームは、負けると「集中力《しゅうちゅうりょく》がなくなってしまっている」とか「自分でチャンスをつぶしてしまった」などと説明《せつめい》する。

同じ能力《のうりょく》なら、「楽観度《ど》」が高いほうが勝利《しょうり》を招《まね》くそうである。

もちろん、楽観主義《しゅぎ》のあまり、何でも人のせいにしたり、現実を見なくなってはいけないが、自分を責《せ》めても何もならないところで「自分をいじめる」のが悲観主義の欠点《けってん》なのである。

＊　　＊

これらは、セリグマン博士《はかせ》の著書《ちょしょ》『楽観主義を学ぶ』（邦題『オプティミストはなぜ成功するか』山村宜子訳、講談社文庫）などを参照《さんしょう》して、私なりにまとめてみたものだが、実《じつ》に興味《きょうみ》深い。具体的《ぐたいてき》であり、生きた「人間学」がある。

一九九七年《ねん》、セリグマン博士が来日《らいにち》された機会《きかい》に、私は博士に共感《きょうかん》を伝えた。

博士はうなずき、大きな体をこちらへ乗り出し、「楽観主義とは『希望《きぼう》』のことです。何も苦しみがないのが楽観主義なのではありません。いつも楽しくて、満ち足りていて……そうではなく、いつ、どこで、失敗《しっぱい》したり、苦《くる》しい経《けい》験《けん》をしても、それは『行動』によって必《かなら》ず変《か》えられる――そう信じる『信念《しんねん》』が楽観主義《らっかんしゅぎ》なのです」と語った。

博士の声は、まろやかな低音《ていおん》である。

博士によると、楽観主義の人のほうが、仕事《しごと》や人間関係《かんけい》でも成功するし、健康にもよく、長生きするそうである。特《とく》に四十代後半からは、考え方が健康に及《およ》ぼす影響力《えいきょうりょく》が大きくなる。

「楽観的な考え方」を練習し、「楽観的な言葉」を心に刻《きざ》みつけ、心に彫《ほ》り込んでいくべきであろう。楽観する「技術《ぎじゅつ》」は、いったん、コツを身につけたら、一生忘れない。自転車《じてんしゃ》や水泳《すいえい》のように。

＊　　＊

私は、仏法《ぶっぽう》は最高の「希望の心理学」であり「希望の生命学《せいめいがく》」であると信じている。

「仏《ほとけ》」とは、心の不可思議《ふかしぎ》な力を知りつくした人のことである。

人間は「心」次第《しだい》で、どのようにでも変わっていける。それどころか、法華経《ほけきょう》の「一念三千《いちねんさんぜん》」の哲学《てつがく》は、一人の「心」の変革《へんかく》が、社会も、国土も変《か》えていけると高らかに宣言《せんげん》している。いわんや自分の人生くらい、自分が決《き》めた通りに、自在《じざい》に変《か》えていける。何一つ、あきらめなくていいのである。

だから、「どうせ」という言葉を捨《す》てよう。「無理《むり》だ」という言葉も捨てよう。

今、どんな状況《じょうきょう》にあろうとも、こう自分に言い聞かせて生きていくべきだ。
「自分は、最後《さいご》に勝《か》つに決《き》まっている！」と。
「自分の今の家族《かぞく》こそ、最高《さいこう》の家族なんだ！」と。
「自分はすでに、世界でいちばん幸福な人間なんだ！」と。

熟年の過ごし方

不滅《ふめつ》の希望《きぼう》に生きる人は、毎日が誕生《たんじょう》日《び》である。そして、希望の別名《べつめい》である「明日《あす》」ほど偉大《いだい》なものはない。明日！　それこそ永遠《えいえん》への第一日《だいいちにち》である。

私は川のある町が大好《だいす》きだ。川には安らぎがある。ほっとする優《やさ》しさと、人なつっこい表情《ひょうじょう》がある。ふと立ち止《ど》まりたくなるような、心誘《さそ》う懐《なつ》かしさを持《も》っている。

そして川は絶《た》えず流《なが》れる。昼も夜も、瞬時《しゅんじ》もとどまることなく。谷《たに》を刻《きざ》む渓流《けいりゅう》から、大地を潤《うるお》す旅《たび》を続《つづ》け、無辺《むへん》の海へ注《そそ》ぐまで、刻々《こくこく》と表情を変《か》えながら、ひた走る一つの生命《せいめい》。いずこより来たり、いずこへ行かんとするのか――。川は人の一生を象徴《しょうちょう》する。また、悠久《ゆうきゅう》の歴史《れきし》の姿《すがた》とも見える。

川は常《つね》にここにあり、終始《しゅうし》、変わることがない。それでいて川は瞬間《しゅんかん》瞬間に新しい。万年の時を生きながら、しかもいつも始《はじ》まりである。川は日々、新しき誕生を繰《く》り返《かえ》している。いな、よどむことがないゆえに、川は永遠なのだ。よどみ、それは川の死《し》である。

生命《せいめい》の流れもまた、一日たりともよどんではならない。個人《こじん》の人生も、そして社会の歩みも――。生きながらの死。これほどの不幸《ふこう》はないからだ。

「一日一日を丁寧《ていねい》に生きよう」。私は常に自《みずか》らを戒《いまし》め、人にもそう語ってきた。一生は変化《へんか》に富《と》み、幸福の内容《ないよう》は多岐《たき》にわたる。しかし、一日一日を精《せい》いっぱいに生きた人が、二十代は二十代なりに、五十代、六十代はそれなりに幸《しあわ》せなのではないだろうか。

なかでも熟年以降《じゅくねんいこう》の一日は貴重《きちょう》である。江戸時代《えどじだい》の学者《がくしゃ》・貝原益軒《かいばらえきけん》は「老後《ろうご》の一日、千金《せんきん》にあたるべし」「若《わか》き時より、月日の早《はや》き事《こと》、十倍《じゅうばい》なれば、一日を十日《とうか》とし、十日を百日とし、一月を一年として、喜楽《きらく》して、あだに（無駄《むだ》に）一日を暮《く》らすべからず」と説《と》いている。

人生八十年時代《じだい》にあって、四十代以降《いこう》、子育《こそだ》て等《など》の後の長い「人生の午後《ごご》」をどう充実《じゅうじつ》させるか。これは切実《せつじつ》な私たちの課題《かだい》であろう。時間をつぶすのでもなく、時間に追《お》われるのでもなく、生きた価値《かち》ある時間をどう賢明《けんめい》に使《つか》いこなしていくのか。

平凡《へいぼん》なようではあるが、私は、川のよどみなき流れのように、一日また一日、一刻また一刻を、誕生したばかりのような、みずみずしい心で生き抜《ぬ》いていくことだと思《おも》う。

＊　＊

不世出《ふせいしゅつ》のチェロ奏者《そうしゃ》で平和主義者《へいわしゅぎしゃ》のパブロ・カザルスは九十六歳で永眠《えいみん》するまで、驚異的《きょういてき》な若々《わかわか》しさで、芸術《げいじゅつ》と平和《へいわ》に貢献《こうけん》し続けた。その彼の信条《しんじょう》は「毎日、私は再生《さいせい》する」だった。彼は言う。「〝立派《りっぱ》に見えること〟ばかりが人生の大事《だいじ》ではない。ほんのちょっとした日常《にちじょう》のつまらぬ仕事《しごと》でも、身《み》を入れてやれば、きっとそこに奇跡《きせき》が毎日生まれるのだ」

ある婦人《ふじん》は「お料理《りょうり》でも掃除《そうじ》でも熱中《ねっちゅう》できない人は、自分の人生にも熱中できませんね」と。

カザルスにとって、生活を見下すことは、人生そのものを粗末《そまつ》にすることだったのであろう。彼は世界《せかい》に遺《のこ》すメッセージはと問《と》われると、いつも同じ答えを繰り返した。――「決《けっ》して人生を見くびるな。決して人生から取《と》り残《のこ》されるな」と。

私は思う。人生とはこんなものだと決めつけ、あなどる人は、実《じつ》は人生の方から、貧《まず》しい人間だなと悲《かな》しく見つめられているのだ。人生に疲《つか》れたと人が言う時、人生の方が、その人に疲れたと言っているのだ、と。よどみなき人生の流れと進歩《しんぽ》に取り残されては、自分自身が不幸になってしまう。

自らの人生経験を生かしながらも、なお日々新たに成長《せいちょう》していく人こそ、人生の達人《たつじん》であろう。熟年《じゅくねん》とは、そうした「人生のプロ」を目指《めざ》しての出発《しゅっぱつ》の世代《せだい》ではないだろうか。

＊　＊

私たちは、発見《はっけん》と驚《おどろ》きに満《み》ちた〝ときめきの日々〟を持ち続けたいものである。人類の歴史《れきし》にも、このときめきが最大限《さいだいげん》に開花《かいか》した時代があった。言うまでもなく、近代《きんだい》の夜明けとなったヨーロッパの「ルネサンス（文芸復興《ぶんげいふっこう》）」である。

ルネサンス――それは人々の「驚き」がつくった。過去《かこ》の先入観《せんにゆうかん》のフィルターをはずしたとたん、人生はまったく新しい装《よそお》いで目に飛《と》び込んできた。自然《しぜん》はこんなにも美しかったのか！　自分はこれほど豊《ゆた》かな力を秘《ひ》めていたのか！「おお、世紀《せいき》よ、おお、知識《ちしき》よ、生きることは歓喜《かんき》である！」（フランソワ・ラブレー）。人々は、とらわれない自分の目で、次々と新しき美と真理《しんり》を発見した。

いわば長い中世《ちゆうせい》の間に「熟年」に達《たつ》し硬直化《こうちよくか》したヨーロッパに、純朴《じゆんぼく》なギリシャ・ローマの青春の息吹《いぶき》が復活《ふつかつ》したのである。社会は再《ふたた》び若返《わかがえ》った。ルネサンスが〈再生〉と呼《よ》ばれるゆえんである。

現代《げんだい》もまた〈心の死〉からの〈再生〉を切《せつ》に求《もと》めている。そして、多くの川がやがて大海をつくるように、私たち一人一人の「人生の再生」があってこそ、人間復興の新しきルネサンスの潮流《ちようりゆう》は流れ始《はじ》めよう。自分自身の再生、私はそれを「人生ルネサンス」と呼んでおきたい。

この「人生ルネサンス」また「自分ルネサンス」に挑戦《ちょうせん》し続ける、あなたの腕《かいな》にこそ、社会の〝安心と感動《かんどう》〟の未来《みらい》が抱《いだ》かれているのである。

＊　＊

——川はなぜ流れ続けるのだろうか。それは涸《か》れることなき原点《げんてん》の源《みなもと》を持っているから。そして、海という希望《きぼう》を見失わないからではないだろうか。生命の流れも、希望ありて、ひとすじに流れる。

どんな嵐《あらし》も、川が海に向《む》かうのを止《と》めることはできない。ときには障害《しょうがい》に出遭《であ》っても、乗《の》り越《こ》えるたびに川は大きくなる。大きくなるたびに水の勢《いきお》いも増《ま》す。人生の嵐にも、希望ある限《かぎ》り、生命は永遠の海へ、自分の完成《かんせい》へ、大河《たいが》のごとく悠然《ゆうぜん》と流れていく。生命力とは、未来を信じる力、そして希望を日々新たにし続ける力のことかもしれない。

不滅《ふめつ》の希望に生きる人は、毎日が誕生日である。そして、希望の別名である

「明日」ほど偉大《いだい》なものはない。明日！　それこそ永遠への第一日である。

映画王《えいがおう》チャップリンは、「あなたの最高傑作《さいこうけっさく》は？」と問われて、いつも「ネクスト・ワン（次の作品《さくひん》さ）」と微笑《ほほえ》んだ。

私たちもまた、充実《じゅうじつ》した今日一日を生き、そして眠《ねむ》りにつくとき、人生最《さい》良《りょう》のときはと聞かれれば、「明日！」と笑《わら》って答えたいものである。

老いの迎え方

私たちは〝老《お》い〟という自然《しぜん》の摂理《せつり》を、あるがままに受《う》け入れ、年ごとに、どのように美しく、いかに価値《かち》ある年輪《ねんりん》を刻《きざ》み、それぞれの人生の総仕《そうし》上《あ》げをしていくかという、前向《む》きな発想《はっそう》を持つ必要《ひつよう》がある。

「若《わか》いものは美しい。しかし、老いたるものは若者《わかもの》よりさらに美しい」（ホイットマン）――。

幾春秋《いくしゅんじゅう》を越《こ》えた方々が人生の年輪《ねんりん》を光らせている姿《すがた》ほど、神々《こうごう》しく、すがすがしいものはない。

古来《こらい》、不老長寿《ふろうちょうじゅ》ということは、人間としての常《つね》に変《か》わらざる願望《がんぼう》であると言ってよいだろう。また、長寿《ちょうじゅ》を祝《いわ》い、年配者《ねんぱいしゃ》を大切にする姿に、何とも言えぬ人間の潤《うるお》いと、尊《とうと》いものを感《かん》ずるのは、私一人ではないと思う。多くの年配《ねんぱい》者《しゃ》から「人生は、まだこれからだ」という声《こえ》を聞くと、何とも頼《たの》もしく、私どもは勇気《ゆうき》づけられるものである。

『ガリバー旅行記《りょこうき》』で有名《ゆうめい》な作家のスウィフトが、こんな言葉《ことば》を残《のこ》している。「だれしも長生《ながい》きをしたいと思《おも》う。だが、年をとりたいと思う人はいないだろう」

この言葉《ことば》にはさまざまな意味《いみ》が込《こ》められていると思うが、私は、そこに彼一《いち》流《りゅう》の警句《けいく》を読みとりたい。

つまり〝人間は長生きすることを望《のぞ》むが、果《は》たして長生きすることによって得《え》ようとするものは何か、それを見失《みうしな》ってはならない〟ということである。

もう三十年以上《いじょう》も前になるが、レオナルド・ダ・ヴィンチが晩年滞在《ばんねんたいざい》し、そこで生涯《しょうがい》を閉《と》じた館《やかた》を訪問《ほうもん》したことがある。その館の寝室《しんしつ》に、ダ・ヴィンチの生前《せいぜん》の言葉が、銅板《どうばん》に刻《きざ》まれていた。

「充実《じゅうじつ》した生命は　長い
充実した日々は　いい眠《ねむ》りを与《あた》える
充実した生命は　静寂《せいじゃく》な死《し》を与える」

有意義《ゆういぎ》に過《す》ごした一日が幸せな眠りをもたらすように、充実した一生は幸せな死をもたらす、ということであろう。

ルネサンス精神《せいしん》を代表《だいひょう》する万能《ばんのう》の人、ダ・ヴィンチの生涯《しょうがい》からにじみ出る言葉だけに、強く心を打《う》たれた。

＊　　＊

生涯、挑《いど》み、戦《たたか》い続《つづ》けたダ・ヴィンチは、こんなことも言っている。「鉄《てつ》は使《つか》わないと錆《さ》びる。澱《よど》んだ水は濁《にご》る、寒《さむ》さには凍結《とうけつ》する。同じように、活動《かつどう》の停止《ていし》は精神《せいしん》の活力《かつりょく》を喪失《そうしつ》させる」（五十嵐見鳥訳『レオナルド・ダ・ヴィンチ』平凡社）と。

そして死《し》を前にして「私は続けよう」と、素晴《すば》らしい言葉を書き残している。

人生の充実と探求《たんきゅう》、課題《かだい》への挑戦《ちょうせん》には〝定年《ていねん》〟などありえないことを教《おし》えている。

人生の年輪を増すごとに、創造《そうぞう》の輝《かがや》きを一段《いちだん》と強く放《はな》ちゆく人には、〝老い〟はないのかもしれない。それは、常《つね》に人生の「現役《げんえき》」であることを自負《じふ》しているからではないだろうか。

〝老い〟を考える時代《じだい》にあっても、それぞれの人の生き方という問題《もんだい》を抜《ぬ》きにして論《ろん》じることはできない。

たしかに、生命《せいめい》あるものは、一年ごとに、年輪を刻んでいく。それだけに、その年輪の内容《ないよう》がどうであるかを、自《みず》らが答えねばならないという課題《かだい》が待《ま》っているからだ。

現代《げんだい》は〝展望《てんぼう》なき時代〟と言われている。さらに〝目標《もくひょう》なき時代〟とか、〝漂流《ひょうりゅう》時代〟とか呼《よ》ばれている。そうした中で、私たちはどうしても、将来《しょうらい》への漠然《ばくぜん》とした、何とも言いがたい不安《ふあん》を抱《いだ》かざるをえなくなってきているのであろう。

そこからきた一つの現象《げんしょう》として、「老後」という問題が、クローズアップされてきたのではないかと私は考えるのである。

しかし、人間は、私たちは、生き抜いていかねばならない。いかなる時代であっても、年輪を一年ごとに増してゆく運命《うんめい》にある。ともかく、こういう時代であったとしても、私どもは〝老い〟から逃《に》げたり、避《さ》けたりしてはならない。

この自然の摂理《せつり》を、あるがままに受け入れ、年ごとに、どのように美しく、いかに価値ある年輪を刻《きざ》み、それぞれの人生の総仕上げをしていくかという前向きな発想が必要なのではないだろうか。

私は〝生涯《しょうがい》青春〟という言葉が好《す》きである。また、常々《つねづね》〝生涯青春であれ〟と、自分自身《じしん》にも、多くの友人にも語ってきた。

いわゆる若さとは、決して年齢によって決まるものではないと思うし、その人の持つ目標に向かって、たくましく生き抜く情熱《じょうねつ》の炎《ほのお》によって決定されていくと思っているからである。

「愚者《ぐしゃ》にとって、老年は冬である。賢者《けんじゃ》にとって、老年は黄金期《おうごんき》となる」という言葉もある。

一切は、自分の心をどの方向《ほうこう》に向けていくかに、かかっているのである。

老いを、単《たん》に死に至《いた》るまでの衰《おとろ》えの時期《じき》と見るのか、それとも、人生の完成《かんせい》へ向けての総仕上げの時ととらえるのか。老いを人生の下り坂《ざか》と見るのか、上り坂と見るのか——同じ時間を過《す》ごしても、人生の豊《ゆた》かさは天と地の違《ちが》いがあるのだ。

死をどう考えるか

死《し》の自覚《じかく》こそが、生を限《かぎ》りなく豊《ゆた》かにし、充実《じゅうじつ》させるのである。死の自覚なきところに、真実《しんじつ》の生もない。充実した時間を送《おく》れるはずもない。死はそのまま生の問題《もんだい》なのである。死を解決《かいけつ》しないところに、生の確立《かくりつ》もない。

ある哲学者《てつがくしゃ》は「死《し》を意識《いしき》するかいなか――それが、人間《にんげん》と他《ほか》の動物《どうぶつ》との違《ちが》いである」と言《い》っている。

「生と死」というテーマは、一生をかけて、自分自身《じしん》が探求《たんきゅう》していくべき重《じゅう》大問題《だいもんだい》である。木でいえば、根《ね》っこのようなものだ。人生には、さまざまな悩《なや》みや課題《かだい》があるように見えるが、それらは枝《えだ》であり、葉《は》であり、すべて根本《こんぽん》の「生死《しょうじ》」という課題につながっている。

「生命《せいめい》」を、どうとらえるか。その生命観《かん》、生死観《しょうじかん》、人間観《かん》が、一切の根本《こんぽん》となる。今、日本は闇《やみ》のように暗《くら》く、完全《かんぜん》に行き詰《づ》まっている。多《おお》くの世界《せかい》も行き詰まっている。

行き詰まりの根っこは何か。「生と死」といういちばんの根本問題の狂《くる》いである。指導者《しどうしゃ》も民衆《みんしゅう》も、「生死」といういちばん大事《だいじ》な問題を考えず、避《さ》けて、ごまかして、目先の欲望《よくぼう》だけを追《お》いかけてきた。その「しっぺ返《がえ》し」が今、現《あらわ》れている。

だから、その根本問題に立ち返《かえ》らないで、どんなに表面的《ひょうめんてき》な対策《たいさく》を繰《く》り返《かえ》しても、何も変わらない。病気《びょうき》の原因《げんいん》を治《なお》さないで、一時的《いちじてき》な痛《いた》み止《ど》めなどで、ごまかしているようなものである。よくなるわけがない。

二十世紀最大《さいだい》の歴史家《れきしか》、トインビー博士《はかせ》も、かつて私との対談《たいだん》の中でこう語《かた》っている。

「今の世界の不幸は、各分野《かくぶんや》の指導者が、『死』という根本問題から目をそむけて、考えないところに原因《げんいん》があります」と。

「人間は死への存在《そんざい》である」と言ったハイデッガーの言葉《ことば》をまつまでもなく、生の底《そこ》には死が流《なが》れている。いや、瞬間《しゅんかん》ごとに死に接《せっ》し、死から生へと蘇《よみがえ》っているといえる。

こうした死の自覚《じかく》こそが、生を限りなく豊かにし、充実させるのである。死の自覚なきところに、真実の生もない。充実した時間を送れるはずもない。死はそのまま生の問題なのである。死を解決しないところに、生の確立もないといえるのではないだろうか。

＊　＊

どんな人にも必ず「使命《しめい》」がある。使命があるから生まれてきたのだ。

使命――何に「命《いのち》」を「使《つか》う」か。自分はどんな「命《めい》」を受《う》けて宇宙《うちゅう》から「使わされた」のか。派遣《はけん》されたのか。

仏法《ぶっぽう》では、全《ぜん》宇宙を「一つの巨大《きょだい》な生命」と見る。個々《ここ》の生命は、その大海の波《なみ》のようなものである。波が盛《も》り上がれば「生」。波が宇宙に溶《と》け込《こ》めば「死」。生も死も宇宙と一体である。

一つの生命が生まれてくるには、全宇宙が賛同《さんどう》し、全宇宙が協力《きょうりょく》している。全宇宙が祝福《しゅくふく》して送《おく》り出してくれたのが、あなたなのだ。

生命の尊《とうと》さは平等《びょうどう》である。生命には序列《じょれつ》がつけられない。生命には、それぞれ個性がある。どの人の生命も、全宇宙と同じように尊《とうと》い。全宇宙の生命と一体であり、同等の重《おも》さを持っている。

だから、絶対に自殺《じさつ》はいけない。絶対《ぜったい》に暴力《ぼうりょく》はいけない。人を傷《きず》つけてはいけない。人をいじめてはいけない。尊い生命を傷つける資格《しかく》など、だれにもない。

悩《なや》みに負《ま》けてはいけない。悩みに負けた人間は、もう人間としての「新しい誕生《たんじょう》」はない。動物《どうぶつ》のように、本能的《ほんのうてき》に生きるだけの人間になってしまう。それは魂《たましい》の「死」である。

ロシアの作家《さっか》ドストエフスキーは、処刑場《しょけいじょう》で銃殺《じゅうさつ》されそうになった経験《けいけん》を持つ。

「自分の順番《じゅんばん》を待《ま》ちながら、こう思った。五分後には自分も柱《はしら》に縛《しば》りつけられ、撃《う》たれて、この世にいなくなる。

この貴重《きちょう》な五分間を無駄《むだ》にしたくない。最後《さいご》に残《のこ》された宝物《たからもの》だ。大切に、大切に使わなければ！

彼は五分間を三つに分ける。二分間は瞑想《めいそう》に使おう。二分間は友との別《わか》れに、そして残りの一分は、この世を見つめることに使おうと。そして、もしも助《たす》かったならば、『一瞬《いっしゅん》』『一瞬』を、まるで『百年』のように大事にして、絶対に一瞬も無駄にしないと誓《ちか》うのである」（中村健之助訳『ドストエフスキー写真と記録』論創社）

しかし、考えてみれば、五分後でなくても人間は必《かなら》ず死ぬ。一〇〇パーセント、これほど確実《かくじつ》なことはない。ユゴーは「人間は生まれながらにして死刑《しけい》囚《しゅう》である」（小潟昭夫訳『死刑囚最後の日』『ヴィクトル・ユゴー文学館』第９巻所収　潮出版社）と言った。

だから本当は、だれもが一分一分を「百年のごとく大切にして」生きるべきなのである。だらだら生きただけの人生は、虚《むな》しい。自分がいつ死ぬかわからないと自覚した人は、一日一日を全力《ぜんりょく》で生きるにちがいない。

＊　＊

人間だれだって、いつかは死ぬ。要《よう》は、どう生きたかである。長生きは大事だが、勝負《しょうぶ》は長さだけで決《き》まるのではない。生きている間に、「何をしたか」。これで決まる。

かつて対談《たいだん》した〝アメリカの良心《りょうしん》〟ノーマン・カズンズ博士《はかせ》は、こう言った。

「人生の最大の悲劇《ひげき》は死ではありません。『生きながらの死』です。生あるうちに、自分のなかで何かが死に絶《た》える。これ以上恐《いじょうおそ》ろしい人生の悲劇はありません。大事なのは生あるうちに何をなすかです」（『世界市民の対話』毎日新聞社）

人間は「生きる意味《いみ》」を求《もと》める動物である。それさえあれば、どんな苦しいことでも頑張《がんば》れる。それがなかったら、他《ほか》のすべてがあったとしても、虚《むな》しい。心はゆっくり死んでいく。

元ソ連大統領《れんだいとうりょう》のゴルバチェフ氏と共に、私が創立《そうりつ》した関西創価学園を訪問《ほうもん》されたライサ夫人《ふじん》は、生徒《せいと》たちに語られた。

「最後に勝利する人とは、たとえ転《ころ》んでも、立ち上がり、再び前に進む人です。『死』を迎えるのは『疲れた人間』ではありません。『歩みを止めた人間』なのです。そういう戦いを貫《つらぬ》けるかどうかは『心』で決まります」

生命とは、生と死を繰《く》り返しつつ永遠に持続《じぞく》していくもの——というのが、東洋《とうよう》の生命観である。この生死を超えたところに自己の目的と使命を求め、己《おの》が生を賭《か》けていく。そこに、尽《つ》きない生命の充実感《じゅうじつかん》が生まれていくのではないだろうか。つまり、生きるために努力《どりょく》していた状態《じょうたい》から、この生を何のために燃《も》やしていくかという姿勢《しせい》に、一歩脱皮《だっぴ》することである。

素晴《すば》らしい夕日は、素晴らしき明日《あす》を約束《やくそく》する。西空を黄金《おうごん》に染《そ》めて沈《しず》む夕日は、明日の晴天を約束する。同じように、今世《こんぜ》の偉大《いだい》なる安祥《あんじょう》の「死」は、「永遠の幸福」を約束してくれるのである。

第6章《社会》

人は
富《と》める人たちを見ると
嫉妬《しっと》したくなる。
嫉妬は人を
悪魔《あくま》の刃《やいば》で
不幸《ふこう》にする力である。

栄《さか》えゆく母たちを見ると
人々は嫉妬に狂《くる》い
様々《さまざま》な噂《うわさ》をつくりながら
心美しき　その母たちを
辛《つら》き思いに追《お》いやっている。

しかし
母は　もっと深《ふか》い。

もっと底力《そこぢから》を持っている。
ゆえに
くだらぬ噂など
見向《みむ》きもしない。

浅《あさ》ましき　心傲《おご》りたる
この狂気《きょうき》に似《に》た
人間社会を変《か》え
新しき心で
新しき哲学《てつがく》で
母を永遠《えいえん》に誉《ほ》むる時代《じだい》を
創《つく》るべきだ。
これが
「女性《じょせい》の世紀《せいき》」であると
ある哲人《てつじん》は謳《うた》った。

貧《まず》しくとも
病弱《びょうじゃく》であっても
夫《おっと》に先立たれても
けなげなる母の心には
幸福と勝利《しょうり》の都《みやこ》が
厳然《げんぜん》と築《きず》かれるのだ。

社会活動の第一歩

家庭《かてい》の太陽《たいよう》である婦人《ふじん》が、社会の太陽となったとき、真実《しんじつ》の人間世紀《せいき》の新年が始《はじ》まる。

人間は本来《ほんらい》、利己的《りこてき》なものである。それは生きるための本能《ほんのう》がしからしめると言っていいだろう。それをなくせといっても、大多数の人にとっては、とてもできることではない。大切なことは「自《みずか》らをよくすることが社会をよくすることであり、社会に貢献《こうけん》することが、自らを守《まも》ることである」という発想《はっそう》でありたいと、私は思う。

これは当たり前のことに映《うつ》るかもしれない。しかし、この当たり前のことが大切なのではないだろうか。

社会と切り離《はな》してわが家庭があるのではなく、わが家《や》の快活《かいかつ》な団《だん》らんなくして、社会への貢献は絶対《ぜったい》にないはずである。利己的であってもならないし、犠牲《ぎせい》に偏《へん》してもならないということなのである。

仏教《ぶっきょう》には、自分のとった行為《こうい》は、必ず回り回って自分のところへ戻《もど》ってくるという思想《しそう》がある。因果応報《いんがおうほう》などという原理《げんり》もそうである。

大海に捨《す》てるのだから影響《えいきょう》はないだろうと思って投棄《とうき》した汚染物質《おせんぶっしつ》が、植《しょく》物性《ぶっせい》プランクトン、動物性《どうぶつせい》プランクトン、小魚《こざかな》、大きな魚と汚染《おせん》していき、結局《けっきょく》は人間の体内に戻ってくる。大気汚染《たいきおせん》もそうであり、河川《かせん》もその例外《れいがい》ではない。自然《しぜん》は「輪《わ》」であり「連鎖《れんさ》」であることが、生態学《せいたいがく》の発達《はったつ》とともに、明らかにされてきた。

自然界《しぜんかい》だけではない。この社会も、人間の連鎖《れんさ》によって構成《こうせい》されているはずだ。いくら塀《へい》を造《つく》り、壁《かべ》で仕切《しき》っていても「輪《わ》」であることには変《か》わりはない。自分一人ぐらいはと思って、社会に「汚染物質」をタレ流《なが》せば、必《かなら》ず自分のところに戻ってくるのは明らかなことである。

食物《しょくもつ》という目に見えるものを追求《ついきゅう》して、連鎖をなしている自然界《かい》が明らかになってきた。同様《どうよう》に精神の世界、社会生活という目に見えにくい分野《ぶんや》にあっても、連鎖は厳《げん》としてあり、ある意味《いみ》では環境問題以上《かんきょうもんだいいじょう》に大きな影響を及《およ》ぼしていることを、私たちは知《し》らねばならない。

社会は複雑《ふくざつ》であり、単純《たんじゅん》な割《わ》り切り方はできない。しかし、例えば、一人の人が他人《たにん》をあざ笑ったとする。笑《わら》われた人は怒《おこ》るだろうし、その人の悪口《わるぐち》を言いふらすかもしれない。そうした行為《こうい》がめぐりめぐって、結局《けっきょく》は、自分が周《まわ》りの人からバカにされるようなことにもなりかねない。利己主義に走る人が充満《じゅうまん》してくれば、苦《くる》しむのは、しょせん自分である。逆《ぎゃく》に、人を尊敬《そんけい》する人は、いつしか人から尊敬《そんけい》されるようになり、社会全体にそうした風潮《ふうちょう》を生んでいくことにつながるだろう。

このことは、他者《たしゃ》に貢献《こうけん》することの大切さを教《おし》えていることにおいては、自らを犠牲にする思想《しそう》と変わりはないように思うかもしれない。しかし、決定的《けっていてき》に違うのは、それが自分自身を大事《だいじ》にすることに通じると教えている点である。

＊　＊

社会に目を向《む》けるという行為は、子どもの教育という面《めん》においても、大きな影響《えいきょう》をもたらすはずである。私の知人は、毎日、子どもに世界情勢《じょうせい》から話して聞かせると言っていた。さすがだと私は思った。そういう教育から生まれる人間の未来を頼《たの》もしく思い、社会に、なかんずく家庭教育の柱《はしら》たる母親に、そうした発想を持ってほしいと、切実《せつじつ》に願《ねが》わずにはいられなかったのである。

女性が、社会へ積極的《せっきょくてき》にかかわっていけば、家庭内における話題も自然と豊富《ほうふ》になり、また今までひとりよがりで考えていた家庭の運営《うんえい》を、客観的《きゃっかんてき》に見直すこともできる。逆に、社会全体も、健全《けんぜん》な家庭を基盤《きばん》とした着実《ちゃくじつ》な運動《うんどう》があってこそ、大きく発展《はってん》していくはずだと私は思っている。

私は常々、女性は家庭に閉《と》じこもるべきでないという考えを持ち、人々に訴《うった》えてきた。すべての女性が職業《しょくぎょう》を持つべきであるということではない。家事も繁多《はんた》である。育児《いくじ》や、家庭教育が大事であることは言うまでもない。しかし、だからといって、社会との接触《せっしょく》を断《た》ち、目を内に向けてばかりいて地域《ちいき》に考えを及《およ》ぼそうとしないならば、女性の意識の向上《こうじょう》とか変革《へんかく》はないのではないかと思えるのである。

地域社会とかかわっていくというと、どうしても尻込《しりご》みしがちになるかもしれない。家庭や自分をなげうって活動《かつどう》しなければならないと考えるからではないだろうか。

しかし、私はそれは大きな誤りであると思うのだ。

社会活動といっても、一日の大半を使って、一切をなげうってする活動を私は主張《しゅちょう》しているわけではない。一時間でも二時間でも、社会とかかわっていく行為《こうい》が最も望《のぞ》ましいことであると思う。早い話、百分の一の人が十時間、忙しく動き回るよりも、すべての人が十分間だけでも参加すれば、そのほうが効果《こうか》が大であることはいうまでもなかろう。

それは単に物理的な量《りょう》の問題だけではない。さまざまな立場の人が集《つど》い寄《よ》って、語り合い、歩むことが尊《とうと》いのである。そこからはかたよった、あるいは日常生活の感覚《かんかく》から遠く離れた思想《しそう》は出てこないからだ。

一部《いちぶ》の人だけで進《すす》める運動は、偏頗《へんぱ》な、また急進的《きゅうしんてき》な結論《けつろん》に走る恐《おそ》れがある。ある人にとっていいことのようであっても、他の人にとって困《こま》ることであることが少なくない。それを防《ふせ》ぐには、多くの人が参加《さんか》し、遅《おそ》いようではあっても、着実《ちゃくじつ》な歩みを続けることが必要であろうと私は思う。

私は、社会運動の真髄《しんずい》は、頂点《ちょうてん》を高くすることにあるのではなく、裾野《すその》を広げることにあると考え、それを訴え続けているのである。いや、裾野を広げることが、そのまま頂点を高めることに、自然のうちになるであろうことを強く信《しん》じているのである。

＊　＊

私はかつて、まずあいさつすることから始《はじ》めようと言ったことがある。大いに外を歩き、大いに語る婦人《ふじん》であってほしいと願《ねが》っている。女性の地位《ちい》の向上といっても、法《ほう》や制度《せいど》の変革《へんかく》だけに終《お》わらせてはならない。意識《いしき》の向上が先決《せんけつ》であり、そのための活動《かつどう》として、身近《みぢか》なところから始めるべきだと、私は思っているのだ。

もちろん、笑顔を浮かべて儀礼的《ぎれいてき》なあいさつをすることだけが近所づきあいではない。単《たん》に優《やさ》しい言葉をかけることが隣人愛《りんじんあい》なのではない。明るく、賢く、積極的に意見交換《いけんこうかん》をしてほしいのだ。そうした接触《せっしょく》があってこそ、問題《もんだい》意識《いしき》も生まれてくるし、わが身を振《ふ》り返ることもできるのではないだろうか。またそこに、真実の隣人愛《あい》に満ちた連帯感《れんたいかん》が生じるであろうと、私は信じている。

家庭の太陽である婦人が、社会の太陽となったとき、真実の人間世紀《せいき》の新年が始まるに違いない。私の希望《きぼう》は、今、果てしなく広がっている。

人のために尽くす

ボランティア活動《かつどう》にいちばん必要《ひつよう》なものは、「人のために何かをしたい」という「善《ぜん》の心」を大きな花束《はなたば》にしていく結集軸《けつしゅうじく》である。

英語《えいご》のボランティア（volunteer）という言葉《ことば》の語源《ごげん》は、「自《みずか》ら意志《いし》を持《も》つ」という意味《いみ》のラテン語だといわれる。自由《じゆう》意志なのである。自分の意志で立ち上がることなのだ。

いわゆる「ボランティア活動」は、この〝自分の意志で行うこと（自主性《じしゅせい》）〟に加《くわ》えて〝世《よ》の中の人に役立《やくだ》つこと（社会性《しゃかいせい》）〟〝それでお金をもうけないこと（無償性《むしょうせい》）〟〝政治《せいじ》などの手の届《とど》かないところにも目を向《む》けること（先駆性《せんくせい》）〟という条件《じょうけん》を満《み》たすもの――と定義《ていぎ》されている。

海外《かいがい》では、「ボランティア」は、宗教的信念《しゅうきょうてきしんねん》に支《ささ》えられている場合が多いようだ。自分の信《しん》じる「宗教」が、人に尽《つ》くすことを教《おし》えているので、ボランティアの活動をしているというケースも多い。

例えば、ユダヤ教では、「人に尽くす」ことは、「やってもやらなくてもいい」ことではなく、義務《ぎむ》であり正義《せいぎ》だという。「人に尽くさない」人は、不正《ふせい》義《ぎ》の人とされる。無学《むがく》の人ともされる。

もちろん、宗教的信念だけが、ボランティアの源泉《げんせん》であるわけではない。しかし、相当《そうとう》に「内面《ないめん》」が強くないと、なかなかボランティア活動は続《つづ》かないことも事実《じじつ》である。

「こんなことをやっていてどうなるのだろう」とか、「自分の行動《こうどう》なんか、『大海の一滴《いってき》』『焼《や》け石に水』ではないのか」とか、疲《つか》れてしまう場合がある。周《しゅう》囲《い》が皆《みな》、偽善者《ぎぜんしゃ》に見えたり、「一生懸命《いっしょうけんめい》やっているのに、なぜか虚《むな》しい」とか、「もう自分は燃《も》え尽《つ》きてしまった」とか、絶望《ぜつぼう》してしまう場合《ばあい》もある。

反対《はんたい》に「自分はすごいんだ」と傲慢《ごうまん》になってしまう場合もある。

それらを乗《の》り越《こ》えて、長年、生き生きと人に尽《つ》くしていくのは、並大抵《なみたいてい》のエネルギーではない。

＊　＊

ボランティアといっても、何か特別《とくべつ》な場所に行ったり、特別なことをすることではない。自分の身近《みぢか》なところに、ボランティアの出発点《しゅっぱつてん》はある。

「人に尽くそう！」と決《き》め、勇気《ゆうき》を出して「行動《こうどう》」を開始《かいし》したとき、もっと強い自分になれる。人間としての器《うつわ》が、もっと大きくなる。

何でも、初《はじ》めは「一人」である。「少数派《しょうすうは》」である。しかし、その小さな声が、人の心の共鳴板《きょうめいばん》を叩《たた》くとき、一人から二人へ、三人へ、十人へ、百人へと、広がっていく。だから初めの「一人」が大事《だいじ》なのだ。初めの「一歩」が大事なのである。始《はじ》める「勇気」が大事なのである。

「人のために何かをしたい」という気持ちは、たいてい、皆《みな》、持《も》っている。その心をどう結集するかである。「善の心」を大きな花束にしていく結集軸が必要なのである。一見、冷《つめ》たい無関心《むかんしん》のように見えても、結集軸さえあれば、案《あん》外《がい》、皆、素晴《すば》らしい思いやりを持っているものだ。

人のために何かをすれば、自分が元気になる。両方《りょうほう》とも得《とく》をする。仏典《ぶってん》には、「人のために火を灯《とも》せば、自分の前も明るくなる」と記《しる》されている。

何か「してあげている」という傲慢さではなく、「させてもらっている」という謙虚《けんきょ》さが、行動する人には必要である。そうでないと続かないだろう。

＊　＊

「公私《こうし》」というと、日本では「公」とは国や政府《せいふ》、官庁《かんちょう》のことで、「私」とは市民《しみん》、民間《みんかん》のことと思いがちである。それは根本的《こんぽんてき》な間違《まちが》いだ。「公」は「民衆《みんしゅう》」である。民間が主体《しゅたい》なのだ。それが日本では、「官《かん》」が上、「民《みん》」が下になってしまっている。さかさまである。

市民が「主人公《しゅじんこう》」の自覚《じかく》を持って、自分たちの社会をどうするか、自分たちで考え、自分たちが参加《さんか》し、自分たちが手づくりで未来《みらい》をつくっていく。それが民主主義《みんしゅしゅぎ》なのだ。だから、「ボランティア」の活動がないと、民主主義はうまく機能《きのう》しないのである。官が「上」で、民間が「下」と思っている限《かぎ》り、日本にボランティアが根《ね》づくことは難しいかもしれない。

日本の行き詰《づ》まりも、「民間の力」「民衆の力」を抑《おさ》えつけていることに大きな原因《げんいん》がある。

これからは、民衆一人一人の力を引き出していくべき時代《じだい》である。よく「共生《きょうせい》（共《とも》に生きる）」の社会という。それも、お年寄《としよ》りや体の不自由《ふじゆう》な人を、単《たん》に「弱者《じゃくしゃ》」として大事にする社会ではない。そういう人たちも含《ふく》めて、だれもが、自分の持てる「力」を伸《の》び伸びと発揮《はっき》できる社会である。

高齢者も生きがいを求《もと》めている。「人のために役立ちたい」と思っているし、若者にはない経験《けいけん》と知恵《ちえ》がある。そうした「力」をボランティアとして発揮していけば、本当の意味で健康《けんこう》な社会になる。また、社会を進歩させる創造力《そうぞうりょく》や新しいアイデアは、民衆の中からこそ生まれてくるものなのだ。

日本は、本当にエゴの社会になってしまった。「自分さえよければいい」「人が困《こま》っていても関係《かんけい》ない」。まるで砂漠《さばく》のような、乾《かわ》いた心になっている。最《さい》近《きん》、ボランティアに光が当たり、参加《さんか》する人が増《ふ》えているのも、「このままではいけない」という意識《いしき》の表《あらわ》れとも言える。

ボランティアの精神《せいしん》は、これからの日本を大きく変えていく力になることは、間違《まちが》いない。二十一世紀は「人道《じんどう》の競争」の時代だ。「軍事《ぐんじ》の競争」「政治《せいじ》の競争」「経済《けいざい》の競争」――それらは必ず行き詰まる。狭《せま》い地球で、争い合うのは、もうあきあきしている。あまりにも不幸だ。

二十一世紀は、「ボランティア精神の時代」と言ってもいい。

いのちについて

「生命《せいめい》の世紀《せいき》」をつくるのは、ほかのだれでもない、「一人の人を、とことん大切にする」私たちの日々の行動《こうどう》なのである。

生命は機械《きかい》ではない。

人間はモノではない。

近年、特《とく》に、心理的《しんりてき》な要素《ようそ》が病気《びょうき》の回復《かいふく》に大きく影響《えいきょう》することが認識《にんしき》されてきた。だからこそ、「看護《かんご》（ケア）」の役割《やくわり》が大きい。

言葉《ことば》によるケア。

笑顔《えがお》によるケア。

話を聞くケア。

病人《びょうにん》と身近《みぢか》に接《せっ》し、「喜《よろこ》び」を引き出し、「勇気《ゆうき》」を引き出し、「生きる力」を引き出していく。

そういう看護師《かんごし》さんの「目に見えない」労作業《ろうさぎょう》が、走り続《つづ》ける地下水《ちかすい》のように、医療《いりょう》の現場《げんば》を支《ささ》え、潤《うるお》しているのである。救命救急《きゅうめいきゅうきゅう》センターで、小児科《しょうにか》・産科《さんか》で、がん病棟《びょうとう》で、地域医療《ちいきいりょう》、在宅看護《ざいたくかんご》で……。

三交代《こうたい》などの激務《げきむ》。真夜中《まよなか》も続くナースコール。時には、傲慢《ごうまん》な医者《いしゃ》とわたり合って、患者《かんじゃ》の「心の叫《さけ》び」を代弁《だいべん》する。

ともかく忙《いそが》しい。深夜勤務《しんやきんむ》が多く、「運動会《うんどうかい》のような毎日」。家族《かぞく》にも負担《ふたん》をかける。自分の子どもが病気《びょうき》なのに、職場《しょくば》に出かけなければならないこともある。

慢性疲労《まんせいひろう》で、若い人でさえ「ちょっとでも、暇《ひま》があれば寝《ね》ていたいのが本音《ほんね》」というほどの激務である。その割《わり》に給料《きゅうりょう》も安い。

そんな中で、環境《かんきょう》のせいにしないで、優《やさ》しさをふりしぼって献身《けんしん》しておられる看護師さんたちは、本当に崇高《すうこう》である。

しかし、いつまでもそれに社会が甘《あま》えているだけではならないと思う。健康《けんこう》ほど大切な宝《たから》はない。その健康を守《まも》る看護師さんたちを、社会はもっともっと大切にしなければならない。

まして空前の高齢《こうれい》社会である。ますます、お世話《せわ》になることになる。

看護師さんを、どれだけ大事《だいじ》にしているか。それが「その国が、どれだけ、いのちを大事にしているか」の鮮《あざ》やかな目印《めじるし》ではないだろうか。

＊　＊

胸《むね》を病《や》んでいた若いころ、私は石川啄木《いしかわたくぼく》の歌《うた》を愛誦《あいしょう》した。結核《けっかく》の歌が多いところも、身《み》につまされた。

「びっしょりと寝汗《ねあせ》出ている／あけがたの／まだ覚《さ》めやらぬ重《おも》きかなしみ」

寝汗は、私もひどかった。朝、起きると、ふとんがびっしょり濡《ぬ》れていて、しぼれるほどだった。

啄木は看護師さんのことも詠《うた》っている。

「脈《みゃく》をとる看護婦《かんごふ》の手の／あたたかき日あり／冷たく堅《かた》き日もあり」

それは脈をとるほうの変化《へんか》で、そうなるのか。脈をとられるほうの心理《しんり》からなのか。いずれにしても、病気になると、常にもまして人は敏感《びんかん》になる。

「脈をとる手のふるひこそ／かなしけれ――／医者《いしゃ》に叱《しか》られし若き看護婦！」

何を叱られたのだろう、かわいそうに――啄木の目は温かい。

あらゆる差別は「いのちの尊厳《そんげん》」に反《はん》する。しかし、「ある意味で、病院《びょういん》ほど『身分差別《みぶんさべつ》』が残《のこ》っているところもありません」と指摘《してき》する人もいる。「医者は看護師より偉《えら》く……いちばん大事なはずの患者は、位《くらい》ではいちばん下なのです」

しかし本来、医師《いし》とすべての看護師は、上下の関係ではなく、「役割分担《やくわりぶんたん》」の関係《かんけい》ではないだろうか。

＊　＊

人間性は、学校を出ただけでは身につかない。

幼《おさな》い子どもを亡《な》くした若い夫妻《ふさい》がいた。悲しみに沈《しず》む二人に対して、ある医師は「また産《う》めばいいじゃないですか」と言ったという。励《はげ》ましたつもりだったのかもしれないが、心ない言葉だった。

もちろん、素晴《すば》らしい医師は多い。しかし、もしも、エリートと呼《よ》ばれる人ほど「人の心がわからない」「ひとつの『かけがえのなさ』がわからない」傾《けい》向《こう》があるとしたら、社会にとって、こんな無惨《むざん》なことはあるまい。

あの「戦争《せんそう》」も、戦後《せんご》の「公害《こうがい》」の地獄図《じごくず》も、そういう自称《じしょう》「最優秀《さいゆうしゅう》のエリート」によって推進《すいしん》されたのである。

戦前《せんぜん》は、個人《こじん》を抑圧《よくあつ》した「国家主義《しゅぎ》」だったが、その反動《はんどう》から、個人が欲望《よくぼう》のままに生きる「利己《りこ》主義」となった。

どちらも、不幸《ふこう》である。

どちらも、冷酷《れいこく》である。

どちらも、思いやりある「他者《たしゃ》へのかかわり（ケア）」とは正反対《せいはんたい》である。

「生命《せいめい》主義」こそ、正しき「第三《だいさん》の道」と私は信《しん》じる。

生命を手段《しゅだん》にする「力の文明」から、いのちを徹底していとおしむ「生命の文明」へ！

弱肉強食《じゃくにくきょうしょく》の「獣類《じゅうるい》時代」から、人間の名に値《あたい》する「真の人類時代」へ！

そして、「生命の世紀」をつくるのは、ほかのだれでもない、「一人の人を、とことん大切にする」私たちの日々の行動なのである。

* *

世の中にはたくさんの病気《びょうき》がある。どの病気も苦しいが、いちばん苦しいのは「自分は、だれからも見捨《みす》てられてしまった」という意識《いしき》かもしれない。「だれも自分のことなど思ってはくれない。どうでもいい存在《そんざい》なんだ」という思い。絶望《ぜつぼう》という暗《くら》い穴《あな》が心にできると、その穴に人間の生命力は、どんどん吸《す》い込まれて消《き》えてしまう。

だから、病気の人、逆境《ぎゃっきょう》にある人を、放《ほう》っておいてはいけない。忘れてはいけない。

「私は、あなたが元気になるのを、心から願《ねが》っています」という思いを、たゆまず、静《しず》かに伝え続けなければならない。

「医学の限界《げんかい》」が、そのまま「生命の限界」ではない。「人生の限界」でもない。

「生命力」というのは、いちばん解明《かいめい》されていない「二十一世紀のフロンティア」なのかもしれない。

思いやりと介護

介護《かいご》は人生のフィナーレを演出《えんしゅつ》する貴《とうと》い仕事《しごと》である。真心《まごころ》を尽《つ》くし、能力《のうりょく》を引き出し、人格《じんかく》を最大《さいだい》に尊重《そんちょう》していくという点では、教育《きょういく》とともに、「人生の聖業《せいぎょう》」といえる。

高齢《こうれい》の方々が、人生の最終章《さいしゅうしょう》を悠々《ゆうゆう》と総仕上《そうしあ》げするためには、二つの側面《そくめん》があるように思う。

まず高齢者自身《こうれいしゃじしん》の課題《かだい》。晩年《ばんねん》になればなるほど、本人《ほんにん》の生き方、信念《しんねん》が問《と》われる時代《じだい》に入ったといってよい。

そしてもう一つは、高齢者を支《ささ》える社会のありようであろう。若《わか》さには若さの、老年《ろうねん》には老年の素晴《すば》らしさがある。お年寄《としよ》りのさまざまな人生体験《たいけん》は、かけがえのない社会の宝《たから》である。高齢社会の真《しん》の繁栄《はんえい》は、高齢者を尊《とうと》ぶ気風の確立《かくりつ》と、密接《みっせつ》に関《かか》わってくるように思える。

仏典《ぶってん》に、釈尊《しゃくそん》が、「生老病死《しょうろうびょうし》」のうち、「老《ろう》」と「病《びょう》」と「死《し》」について考えて、「三つのおごり」を乗《の》り越《こ》えたという話がある。

人間には、「老者《ろうしゃ》に対《たい》する嫌悪《けんお》」があるが、これは「若者《じゃくしゃ》のおごり」である。

「病者《びょうしゃ》に対する嫌悪」があるが、これは「健者《けんじゃ》のおごり」である。

「生者《せいじゃ》のおごり」である。

釈尊は、晩年《ばんねん》になって青春時代を回想《かいそう》して、この「三つのおごり」を消滅《しょうめつ》させたと述《の》べている。

釈尊が、青春の真《ま》っ盛《さか》りに、健康《けんこう》そのもののときに、また生きる喜《よろこ》びにあふれているまっただなかで、老いていく人、病気《びょうき》に苦《くる》しむ人、死におびえる人に、思いをめぐらしていたことは、感銘深《かんめいぶか》い。

釈尊が示した、この「三つのおごり」は、決して過去の昔話ではない。今、高齢社会の問題《もんだい》が語られ、社会の変化《へんか》や制度《せいど》の不備《ふび》などがあげられてい る。それはそれで大切なことだが、より本質的《ほんしつてき》には、今の人々に巣食《すく》う「心のおごり」に光をあて、人間自体を変えていかなければいけないのではないか、と思うのである。

＊　＊

人間は、ともすると自分と違《ちが》うものを軽蔑《けいべつ》したり、嫌悪《けんお》したりする場合がある。〝差異《さい》へのこだわり〟である。釈尊は、それを、人の心に刺《さ》さった、見がたき「一本の矢」であると表現した。

この〝差異へのこだわり〟が、自分の生命《せいめい》の領域《りょういき》を自分で小さくし、ふさいでしまうことになる。今の自分でしか、生きていけないということになる。

いずれ、だれもが老《お》い、病《や》み、死んでいくことを考えるならば、現代人《げんだいじん》が、そうやって老いや病《やまい》や死から目をそむけているかぎり、自分の未来《みらい》を自分で閉《と》ざして、否定《ひてい》していることになる。

「老い」に対する価値観《かちかん》を変えることが大切である。高齢者が持っている大きな人生経験《けいけん》は、本人にとっても、まわりにとっても、世《よ》の中にとっても、かけがえのない財産《ざいさん》なのである。

スウェーデンでは、例《たと》えば、近視《きんし》であっても眼鏡《めがね》をかければ大丈夫《だいじょうぶ》なように、身障者《しんしょうしゃ》や高齢者であっても、車イスで動けるよう道路《どうろ》の段差《だんさ》をなくし、環境《かんきょう》を整備《せいび》すれば、街《まち》の中で一緒《いっしょ》に暮《く》らせるではないかと考えるのである。

決して、障害《しょうがい》を無視《むし》するということではなく、人間として、普通《ふつう》に生きる権利《けんり》を守《まも》っていくということである。

駅《えき》や学校《がっこう》など公共の施設《しせつ》は、車イスが使《つか》えるよう配慮《はいりょ》することなどを、法律《ほうりつ》で義務《ぎむ》づけている。「社会の中でともに暮《く》らせる」環境《かんきょう》をつくることが、国の共通目標《きょうつうもくひょう》になっているのだ。

この「ノーマライゼーション（正常化《せいじょうか》）」の思想《しそう》の生みの親といわれるのが、デンマークのバンク＝ミッケルセン氏《し》である。

彼は、この思想を実現《じつげん》していくうえで大切な点をこう語っている。

「いちばん大切なのは、『自分自身がそのような状態《じょうたい》に置《お》かれたとき、どう感《かん》じ、何をしたいか？』それを真剣《しんけん》に考えることでしょう」（大熊由起子著『「寝たきり老人」のいる国、いない国』ぶどう社）

相手《あいて》の身になって考えなさいということである。何も特別《とくべつ》な力や才能《さいのう》が必要《ひつよう》なわけではないのだ。

スウェーデンでは、福祉《ふくし》だけでなく、平和運動《へいわうんどう》や環境保護《ほご》も活発《かっぱつ》だ。女性《じょせい》や子ども、在住《ざいじゅう》外国人の方も大切にされている。そこには、国籍《こくせき》や人種《じんしゅ》が違《ちが》っても、第一《だいいち》に「同じ人間である」という考え方があるからではないだろうか。

＊　＊

人生の先輩《せんぱい》である高齢の方々には「尊敬《そんけい》」をもって接《せっ》することが大事《だいじ》である。長年《ながねん》、家族《かぞく》と社会のために働いて年をとったのだから、老化《ろうか》が進んだ時こそ、周囲が「今こそ恩返《おんがえ》しをする時だ」と思ってあげてほしい。

私たちは、まず、すぐ実践《じっせん》できるところから、始《はじ》めたい。優《やさ》しい言葉をかけることでもいいと思う。お年寄《としよ》りを大切にする心を広げていきたいものである。

介護《かいご》の大事な側面《そくめん》は、お年寄りへの思いやりの心を自然《しぜん》に培《つちか》うことなのだ。他者に尽《つ》くすことによって、他者の痛《いた》みや苦しみを、分かち合える人になっていく。

こうした〝善《ぜん》の心〟の連帯《れんたい》は、介護《かいご》が社会化されるにつれて、家庭《かてい》内にとどまらず、地域《ちいき》社会へと広がっていくだろう。

そういう意味《いみ》で、高齢社会は、お年寄りも若者も、男性も女性も、健康の人も病気の人も、平等《びょうどう》な立場で、互《たが》いに学び合い、支《ささ》え合って生きていく、〝心のバリアフリー（壁《かべ》のない）社会〟となる可能性《かのうせい》を秘《ひ》めているのではないかと思う。

お年寄りにとっては、長年、住《す》み慣《な》れた、そして最愛《さいあい》の家族との思い出が刻《きざ》まれたわが家で、最終章《さいしゅうしょう》を送《おく》りたいというのが正直な気持ちであろう。その在宅看護《ざいたくかんご》を支える力となるのが、訪問医療《ほうもんいりょう》や訪問看護《かんご》、そして生活面《めん》では、ホームヘルパーである。お年寄りにとって頼《たの》もしい味方《みかた》である。

どんな人にも、人間らしい最終章を飾《かざ》る権利がある。介護はその人生のフィナーレを演出《えんしゅつ》する貴《とうと》い仕事である。真心《まごころ》を尽くし、能力《のうりょく》を引き出し、人格《じんかく》を最大に尊重《そんちょう》していくという点では、教育とともに、介護は「人生の聖業《せいぎょう》」といえるだろう。

命《いのち》長き時代は、だれもが「介護する人」にもなれば、「介護される人」にもなる時代といえる。高齢社会は、人と人の〝心のつながり〟の大切さが、改めて見直される時代なのである。この長寿《ちょうじゅ》社会を、「人生への愛情《あいじょう》」と「人生の知恵《ちえ》」に満《み》ちた社会にしていきたいものである。

国際人の条件

困《こま》っている人がいたら、手を差《さ》し伸《の》べてあげればよい。その人が日本人であるか、外国人であるかは、問題《もんだい》ではない。どこまでも人間として生きることである。

わが国では、久《ひさ》しく「真《しん》の国際人《こくさいじん》とは」「心の国際化《か》とは」といった問《と》いかけが繰《く》り返されている。

近年《きんねん》、海外旅行《りょこう》に行く人も増《ふ》えたし、日本に来る外国人も増えた。以前《いぜん》から見れば、海外の人々との交流《こうりゅう》も増え、融和《ゆうわ》も進《すす》んだと思えるが、その広がりが、そのまま日本の国際化の広がりとならないところに難《むずか》しさがある。

日本人は表面的《ひょうめんてき》には親切だが、少し深《ふか》くつき合おうとすると「見えない壁《かべ》」があると言われる。やはり心に「国境《こっきょう》」があるのだ。「心の鎖国《さこく》」がいまだに続《つづ》いていると言えるかもしれない。

複雑《ふくざつ》な議論《ぎろん》はさておき、せっかく旅《たび》するからには、その土地で、一人でもいいから友人をつくることが大切なのではないだろうか。心と心の〝出会い〟の思い出をつくることである。友人が、あの国にいる、この国にもいる。そんな小さな友情《ゆうじょう》が、地球全体《ちきゅうぜんたい》に広がったら、どんなに楽《たの》しいだろうか。

〝人間は「地球《ちきゅう》人」「世界人」として生まれてくる〟と言った人がいる。なるほどと思う。小さな子どもたちを見ていると、肌《はだ》の色が違っても、国籍《こくせき》が違《ちが》っても、あっという間に友達になってしまう。「こんにちは！」。どこの街角《まちかど》でも、私があいさつすると、ニッコリと笑顔《えがお》が返《かえ》ってくる。私も子どもたちが大《だい》好《す》きである。

＊　＊

『三人の宇宙飛行士《うちゅうひこうし》』という絵本がある。（ウンベルト・エーコ文、エウジェニオ・カルミ画、海都洋子訳、ＴＢＳブリタニカ）

――アメリカとロシアと中国が同時に火星へ向けてロケットを打《う》ち上げた。ロケットにはそれぞれ一人の宇宙飛行士が搭乗《とうじょう》していた。最初《さいしょ》、三人は互《たが》いに「信用《しんよう》できないやつだ」と思っていた。言葉《ことば》も通じない。無事《ぶじ》、火星に着陸《ちゃくりく》した後も、近寄《ちかよ》ろうともしなかった。

ところが、夜になり、暗闇《くらやみ》に浮《う》かぶ地球を見ていると、三人ともホームシックになる。「お母さん……」。三人はそれぞれの言葉でつぶやいたが、この時ばかりは、互いに思っていることが、はっきり理解《りかい》できた。三人はいっぺんに仲《なか》良《よ》しになった。

そこに、火星人が現《あらわ》れる。人間とはまったく異《こと》なる姿《すがた》。不気味《ぶきみ》なうなり声《ごえ》。三人は驚《おどろ》き、武器《ぶき》を持《も》つ。が、その時、思いがけないことが起《お》きる。一羽《いちわ》のひな鳥《どり》が木の上から落ちたのである。三人が胸《むね》を痛《いた》めていると、火星人はひな鳥に近づき、目から煙《けむり》を吹《ふ》いた。三人はハッと気づく。煙は涙《なみだ》、火星人は泣《な》いているのだ。同じ〝悲《かな》しみ〟の心を持っているのだ——。

「たいせつなことは、おたがいに、わかりあうということだったのです」

と、作者《さくしゃ》は最後《さいご》に書いている。

＊　＊

グローバル化《か》（地球一体化）の負《ふ》の側面《そくめん》を克服するためにも、これからは、苦楽《くらく》をともにする「人間と人間のつき合い」が大事《だいじ》である。世界は多様《たよう》である。文化も違《ちが》う。決《けっ》して、単純《たんじゅん》に「世界は一つ」ではない。その多様性を尊《そん》重《ちょう》しながら、ともに栄《さか》えていくには何が必要《ひつよう》か。それには、唯一《ゆいいつ》最大の共通《きょうつう》点《てん》である「人間」という一点を、拡大《かくだい》していく以外《いがい》にない。

友はいないのではない。「心のドア」がふさがっているから、入ってこられないのだ。「心のドア」を開けよう。わかりあうために。何倍《なんばい》もの楽しい人生を生きるために。

私は、思う。人の心は、お客《きゃく》さまを迎《むか》える「部屋《へや》」に似《に》ていると――。トン、トン。軽《かる》くノックする。にこやかな笑顔《えがお》とともに、ドアが開く。何かを語る前に、もう、友情《ゆうじょう》は始《はじ》まっているのだ。

けれども、冷《つめ》たく閉《と》ざされ、ノックするのもためらわれるような部屋がある。どんなに立派《りっぱ》なドアをつけていても、どんなに部屋を飾《かざ》っていても、訪《おとず》れる人がなければ寂《さび》しい。冷《つめ》たい鉄《てつ》の扉《とびら》も、重々《おもおも》しい門構《もんがま》えも、決して心という部屋を暖《あたた》めてはくれない。

オープンマインド――「開かれた心」の部屋こそ温《あたた》かい。友と語らう部屋こそ楽しいではないか。

相手《あいて》の立場でものを考えられること、人間として当たり前のことができること——平凡なことだが、その平凡《へいぼん》なことが「国際人」となるいちばん大切な基《き》本《ほん》なのである。困っている人がいたら、手を差《さ》し伸《の》べてあげればよい。その人が日本人であるか、外国人であるかは、問題ではない。どこまでも人間として生きることである。

その意味で、日本人が「国際化」を問《と》われているとは、実《じっ》は日本人が「人間としての生き方」を問われていることなのだと私は思う。

各章・冒頭〈詩〉については、いずれも詩集『人生の旅』などの長編詩から、一部抜粋したものです。

池田大作（いけだ・だいさく）
1928年、東京生まれ。創価学会名誉会長、創価学会インタナショナル（SGI）会長。創価大学、アメリカ創価大学、創価学園、民主音楽協会、東京富士美術館、東洋哲学研究所、戸田記念国際平和研究所などを創立。世界各国の知性との対話を重ね、平和、文化、教育運動を推進。国連平和賞をはじめ、世界の各都市から名誉市民の称号、「世界桂冠詩人」賞など多数受賞。
モスクワ大学、グラスゴー大学などの名誉博士。北京大学などの名誉教授。主な著書に『人間革命』（全12巻）、対談集は『二十一世紀への対話』（A・トインビー）、『人間革命と人間の条件』（A・マルロー）、『二十世紀の精神の教訓』（M・ゴルバチョフ）、『地球対談　輝く女性の世紀へ』（H・ヘンダーソン）など多数。

幸福抄

著　者　池　田　大　作
発行人　菊　地　英　雄
印刷所　大日本印刷株式会社
製本所　大日本製本株式会社

装　幀　渋　川　育　由
本文デザイン　attic（小久保守晃）

発行所　株式会社　主婦と生活社
〒104-8357 東京都中央区京橋3-5-7
販売部tel. 03-3563-5121　編集部tel. 03-3563-5194

落丁乱丁その他不良品はお取り替えいたします。
本書からの複写を希望される場合は、
日本複写権センター（tel. 03-3401-2382）にご連絡ください。

ISBN4-391-12875-6
©IKEDA, DAISAKU, 2003, Printed in Japan